呦呦有蒿

屠呦呦与青蒿素

Tu
Youyou

饶毅　张大庆　黎润红　等著

中国科学技术出版社
·北京·

屠呦呦

药学家

1930年12月30日生于浙江宁波

1955年毕业于北京医学院（现北京大学医学部）药学系

现任中国中医研究院终身研究员兼首席研究员

青蒿素研究开发中心主任，博士生导师

2011年获得拉斯克奖

2015年获得诺贝尔生理学或医学奖

青蒿素是中国医学给予人类的一份珍贵礼物。

和其他植物化学的发现在药物开发中的应用相比，

青蒿素的历程相对短暂。

但这绝不是中医智慧的唯一果实。

——呦呦说

目录

呦呦鹿鸣 食野之蒿

现在不少人知道青蒿素（artemisinin）的作用。它起效快，可以在一线使用，也是在其他常用药物如氯喹出现抗药性情况下，可以改用的药物。当然，青蒿素并非无缺点，也不是可以替代其他所有抗疟药的唯一药物。但是，它治疗了很多病人。在结构上，青蒿素完全不同于其他抗疟药，是全新的一类药物，迄今国内外仍然试图寻找更好的衍生物，以便改进疗效、减少抗药性。在科学上，青蒿素作用的机理，尚未完全阐明，仍是有待深入研究的科学问题。

青蒿素的发现过程与屠呦呦的工作在2000年年初进入我们的视野。

1969年，高年资科学家绝大多数"靠边站"了，不可能参加科学研究。中医研究院中药研究所的实习研究员屠呦呦等应召加入"523任务"。

"523任务"分为几部分：仿造西药或制造衍生物、从中药中寻找抗疟药、制造驱蚊剂等。中药部分，不同研究小组试了很多中药，包括药效较强、但副作用较大的常山(Dichroafebrifuga)。张昌绍等于20世纪40年代曾对常山有开创性的研究。他和同事于1943年报道用常山的粗提物治疗疟疾病人，1945年报道常山所含三种生物碱在鸡的疟疾模型上有作用，1946报道常山碱B（dichroine b，后称dichroine b）在鸡疟模型的抗疟作用，1948年报道常山提取的常山碱g（dichroine g），常山碱b（dichroine b），常山次碱（dichroidine）和喹唑啉（quinazolone）具有抗疟作用，1947年和1948年确定所有这些生物碱的分子式。"523任务"再次考虑和研究了常山，但遇到同样问题：虽然抗疟作用强，呕吐的副作用也很强，因未能克服而不能推广应用。但是，研究常山的路径和方法，基本也是研究青蒿和青蒿素的方法。

而青蒿(Artemisia annua)不仅记载于古代中药书中，而且在20世纪50年代和60年代，中国民间也有使用的记录。屠呦呦研究小组的余亚纲梳理过可能的抗疟中药，开列了808个中药的单子，其中有乌头、乌梅、鳖甲、青蒿等。军事医学科学院用鼠疟模型筛选了近百个药方，青蒿提取物有60%～80%的抑制率，但效果不稳定。屠呦呦给自己研究小组提供的清单含多个中药，包括矿物药：黄丹、雄黄、硫黄、皂矾、朱砂等；动物药：鼠妇、地龙、蛇蜕、穿山甲、凤凰衣等；植物药：地骨皮、甘遂、黄花、菱花、鸦胆子、青蒿、马鞭草等。1971年年初，余亚纲从抗疟科研小组调出去研究支气管炎。屠呦呦研究小组后来也观察到青蒿的效果，但水煎剂无效、95%乙醇提取物药效仅30%～40%。应该附带指出，有些古书曾记载热水煮青蒿用于治疗疟疾，这种不可靠的记载妨碍了发现中药的真正作用。

1971年下半年，屠呦呦本人提出用乙醚提取青蒿，其提取物抗疟作用达95%～100%，这一方法是当时发现青蒿粗提物有效性的关键。1972年3月，屠呦呦在南京"523任务"的会议上报告这一结果，获得大家注意，但并未成为唯一的重点，会议总结时组织者建议"鹰爪要尽快测定出化学结构，并继续进行合成的研究；仙鹤草再进一步肯定有效单体临床效果的基础上，搞清化学结构；青蒿、臭椿等重点药物，在肯定临床效果的同时，加快开展有效化学成分或单体的分离提取工作"。

其后，屠呦呦研究小组的工作集中于青蒿。倪慕云先试图获得青蒿中的活性化合物，以后钟裕容成功地获得结晶"青蒿素II"（后称青蒿素），屠呦呦于1974年2月在中医研究院召开的青蒿座谈会上提到了青蒿素II的分子式。从明确青蒿乙醚中性提取物（黑色胶状物，抗疟有效组分）的抗疟效果到获得青蒿素（白色针状结晶，抗疟有效单体），从而确定了抗疟分子。

屠呦呦研究小组成员还与其他研究组合作，其中起重要作用的有中国科学院上海有机所、中国科学院生物物理研究所等，分析青蒿素分子、解析其结构。这些研究小组发现青蒿素是一种新型的倍半萜内酯。在1972年获知屠呦呦小组青蒿粗提物有效的信息后，山东寄生虫病研究所与山东省中医药研究所合作，云南省药物研究所独立分别进行青蒿的提取工作。山东省中医药研究所和云南省药物研究所分别获得抗疟有效单体，并命名为"黄花蒿素"（山东）和"黄蒿素"（云南）。1974年初，北京的青蒿素、山东的黄花蒿素和云南的黄蒿素初步被认为相同的药物。

很重要的是，根据我们对青蒿素发现历史的分析，虽然有很多争论，但无异议的是：

1.屠呦呦提出用乙醚提取，对于发现青蒿的抗疟作用和进一步研究青蒿都很关键；

2.具体分离纯化青蒿素的钟裕容，是屠呦呦研究小组的成员；3.其他提取到青蒿素的小组是在会议上得知屠呦呦小组发现青蒿粗提物高效抗疟作用以后进行的，获得纯化分子也晚于钟裕容。

有关青蒿素的历史回顾很多。一个药物的发现，除了确定粗提物有效以外还有提纯、药理、结构、临床等部分。屠呦呦的工作有前人的基础，她的研究小组其他成员有重要贡献。也不能忽略其他研究小组和科学家的重要作用。例如，中医研究院曾学习云南和山东的青蒿素提取工艺。在中医研究院用自己提取的结晶做临床实验结果不够理想并发现毒副作用时，云南药物所罗泽渊等人提供的结晶通过广州中医药大学的李国桥等人明确其对恶性疟尤其是脑型疟有效。而现在使用较为广泛的蒿甲醚、青蒿琥酯等青蒿素的衍生物则是由中国科学院上海药物所李英等和广西桂林制药厂刘旭等于1976年后多年研究的结果。

考察那一代老科学家所做的研究，他们的药物挽救了世界上很多人的生命，但他们本人却默默无闻，相关的文献埋没于即使能读中文者也感冷僻的杂志和一般读者不容易看到的内部会议资料。

我们基于原始中文论文、文件和杂志，在此希望呈现这些发现的历史过程，同时我们也发现，在古代和近现代中文文献及医疗实践中，可能还有尚待重新发现的珍宝。

第一章

"523任务"与青蒿素

这是中国人、中国科学事业、中医中药走向世界的一个荣誉。

——呦呦说

"523任务"的下达

任务的来源

20世纪60年代初期，世界不少地区已经出现恶性疟原虫对氯喹产生抗药性的问题，尤以东南亚最为严重。随着越南战争逐步升级，抗氯喹恶性疟侵袭不断扩散，威胁着越南军民的健康，1964年，毛泽东主席会见越南党政负责人谈话时，越南同志谈到越南南方疟疾流行严重，希望帮助解决疟疾防治问题。毛主席说："解决你们的问题，也是解决我们的问题"。随后，总后勤部下达命令，指示军事医学科学院和第二军医大学两家单位开始研究长效的抗疟药，一个项目，齐头并进。在1967年之前，军队系统的军事医学科学院，第二军医大学，广州、昆明和南京军区所属的军事医学研究所已经为紧急援外、战备任务开展了相应的疟疾防治药物研究工作。中国军事医学科学院曾提出，在疟疾流行区，部队无论是在平时演习或是战时军事行动，服药预防是一项重要的抗疟措施。但是常用抗疟药，只有短期效果，必须经常服用，在大规模现场应用时有漏服或拒服情况，从而影响了服药预防效果。因此，军事医学科学院开始寻找有效抗疟药和长效预防药，如六所仿制合成了长效抗疟药CI-501并对传统抗疟中药常山进行了大量的相关研究、而五所则对CI-501进行了大量的鼠疟、鸡疟的研究。

在1966年5月至8月期间，军事医学科学院派出了一大批人员赴越南调查援越部队的卫生状况、各种疾病的发病和防治情况等。其中还重点对疟疾发病和防治的情况进行了调查。根据越北军区卫生代表团阮国璋介绍：疟疾为参战部队的主要传染病：越南人民军主要疾病系疟疾，南越部队及美军第一师发病率高达100％。由于出现了抗药性疟原虫，防治疟疾一般常用的药物大多不能奏效，急需研制出抗药性恶性疟疾防治的药物。后来考虑到仅凭军队的科研力量还是太薄弱了，所以后来就由中国人民解放军总后勤部与中华人民共和国科学技术委员会牵头商议进行大协作。经酝酿讨论和有关领导部门审定后，1967年5月4日中华人民共和国科学技术委员会向有关单位下发了召开疟疾防治药物研究大协作会议的通知。5月18日在北京举行了全国疟疾防治研究领导小组会议。中华人民共和国科学技术委员会和中国人民解放军总后勤部于1967年5月23日至5月30日在北京召开了有关部委、军委总部直属和有关省、市、自治区、军区领导及有关单位参加的全国协作会议，讨论、修订并确定了由中国人民解放军军事医学科学院草拟好的三年研究规划。由于这是一项涉及越南战争的紧急军工项目，为了保密起见，遂以开会日期为代号，简称为"523任务"，与此相关的还有"523领导小组"，"523办公室"等简称。

会议的筹备

1967年5月23日至5月30日国家科委和总后勤部在北京联合召开了《疟疾防治药物研究工作协作会议》。参与会议的有各有关业务领导部门和从事疟疾药物研究试制、生产、现场防治工作的37家单位，88名代表。当时正处于"文化大革命"的高峰时期，由于缺乏当时的会议完整记录，会议记录的保存制度也不够完善，而且随着时间的流逝，当时的参会人员还健在的屈指可数。所以目前对当时会议的筹备以及会议的进展过程，参会者的回忆材料则显得弥足珍贵。为此，笔者走访了数位参与"523任务"的领导和科研人员，最终终于找到"523任务"的初期组织者之一、军事医学科学院科技部计划处原处长吴滋霖以及其他的几位参会人员，他们分别是卫生部科技司原司长陈海峰以及原云南地区"523办公室"主任傅良书。

（1）会前筹划：

吴滋霖：大概是1966年6月，我从核试验回来之后，军事医学科学院院长桂绍忠通知我和他一起去总后勤部开了一个会，总后勤部一个叫陈庞的参谋长说毛主席下达了一个任务，大概的意思是说：南方部队正在遭受疟疾苦难，部队的战斗力下降，影响到整个国家存亡了，要军队研究解决疟疾的预防和治疗问题。在此之前，军事医学科学院已经开始进行疟疾防治的研究。比如军事医学科学院，五所、六所搞药、搞化学合成的的力量很强。防1、防2都是他们当时做出来的。当时主要是部队在做这个事，国家科委、卫生部等都还没有参与。但是后来考虑到仅凭军队的力量还是太薄弱了，从总后开会回来后，我便去跟科技部部长说的，因为当时科技部部长没去开会，后来就开始组织大协作。

当时军队的研究任务一般是计划型的，由任务带学科。贺诚为军事医学科学院院长之一，他文采很好，出口成章，在当时指定初步的疟疾防治研究计划时，主要他讲我们做记录，他提出要有"方向、任务"，大的指导方向有"侦（查）、检（验）、消（毒）、防（预）、治（疗）等"。在这样的方向的指导下开始组织大协作。"科、教、研"结合，院内协作，军民协作等。当时还有一个原则就是"开发"的原则，临床试验、药物生产、现场试验等结合起来。这个在当时的规划里面都有体现。在这样的原则下，我们制订相应的规划和方案，具体参加单位、具体实施方案等都有。当时军事医学科学院还成立了一个5人小组，院长桂绍忠、副院长彭方复、六所的徐念兹、五所的白冰秋，还有一个是刘德懋。这个5人小组就是当时1966年开完会之后回来成立的，"文化大革命"开始开始后，这些人大部分靠边站了。1967年5月23日开会的时候这几位领导只有彭方复参加。后来要组织力量大协作。再后来就交给刘德懋负责，他们讨论后就是我当组长，周廷冲副组长管技术方面，还有一个就是周义清。

　　"文化大革命"比较乱，当时很多单位工作都停滞了，为了让那些单位来参加，有些是我自己跑去跟他们说的。据他回忆当时首先联系军队内部的单位，这个几个军区没问题，总部有什么命令他们坚决执行的。那个时候非常重要的一个单位就是上海第二军医大学（以下简称"二军大"），他们的科研等各方面力量都比较强。首先我就到二军大，当时他们哝嗤什么的已经搞了很多。当时几个军医大学已经被红卫兵占领了，二军大已经被红纵掌权了，他们的领导、校长等都被看起来了，没有什么权力了。我就怎么办呢，我又不认识他们下面的那些人，我就拿着毛主席的命令去找那些人。也没有什么文件，就是口头说，我就通过军事医学科学院的跟红纵有联系的造反组织，他们给我写了信，给上海二军大红纵的头头钱××，她一个女将啊，很厉害的，我跟她一谈，她就说毛主席的指示一定要执行，她就让我去找二军大科技处的处长，叫什么名字记不得了，好像姓汪。她就把他找来了，还有一些专家、教授啊，他们都很愿意搞这个科研，不愿意去参加革命之类的。后来这个就落实了。然后又跑到化工部，当时工厂都是造反派的。上面就是国家科委，当时是聂荣臻管的，当时科委也被夺权了，他也说不出什么话来，当时他们有个叫张本的，她也很支持做这个。国家科委底下的几个处长也比较支持，特别是一个搞药的姓田的处长特别支持。卫生部的钱信忠当时也没有权了，陈海峰他们都是在造反派的看管下的。当时北医都没有参加进来，就是一些中医的，还有地方上的单位参加。像一些制药厂都是各个部门下面去通知的，比如科委、国防科工委他们去通知的。地方上直接告诉他们就可以了，毛主席指示的，他们都会执行。不过后来我也就是因为这个事情，成了"文化大革命"中唯一审查我的事情，就说我交代不清楚。

陈海峰：1967年4月18日，国家科委十局召开了"疟疾防治军民合作研究问题会议"。我当时对具体的要求不了解，但是在"523会议"之前，5月18日接到任务，就开了一个会成立抗疟研究领导小组，当时接到他们提出的要求以后，毛主席和周总理等都批了。批下来以后，部队就到国家科委、总后勤部、（总后勤卫生部）中国科学院、化工部、卫生部五个单位商量这么一个领导小组来研究这么一个问题。

（2）会议情况：

吴滋霖：当时的会议很乱，本来是都要到总后来参加会议的，后来刚好二军大的红纵要来造反，当时中国人民解放军副总参谋长兼总后勤部部长邱会作，他说："不能在总后开，你们到北京饭店去开。"所以那个时候刘德懋跟我还有周廷冲就一起组织去那边，北京饭店房间很多，想住哪个就住哪个，当时北京饭店的新楼还没有盖好，都是老的房子，来的人有100多人，当时好像真正开会的只有两三天，剩下的就是一些讨论之类的，后来一直到结束可能总共一周。开会的情形，就是我念这个计划，刘德懋组织这个会议，副院长彭方复也去了，彭方复呢很反对我们这个搞法，所以他不发言，也不讲，但是他去了。他在文件上签了字啊，所以基本上是由我来说。那天开会可有意思了，发言之前都要呼口号的，很多老红军都不习惯，我们也不习惯，但是没有办法。去的那些人基本上都是造反派，保守派去不了啊，因为都被夺权了嘛。然后读完了之后就分组讨论，会议还是很顺利的，以后都是一个一个小组参加的。周克鼎也去了，他当时是作为我的助手去的。

当时分组主要是按照规划里面的任务进行的，按单位的。当时没有什么批示，都是我们说了算。正式的文件嘛是回来以后就往上报的，报总后、报科委等。具体的情形记得不是很清楚了。

陈海峰：在5月23日一直到5月30日在北京饭店开了第一次会议，正式制订了规划，那个时候规划还比较粗糙，把任务先交代下去，先动起来。紧急战备任务，高度机密的。当时在北京饭店除了领导小组以外，主要有军委卫生部的一个副部长叫杨鼎成。由他介绍了一些情况，这个时候的任务是要求大家以最快的速度想出有效的办法来对付疟疾，尤其是恶性疟。他介绍情况然后大家就讨论，初步制订了一个规划，为了保密起见，开会那天是5月23日所以就叫"523办公室"，有利于保密，军队叫"军队523办公室"，地方的叫"地方523办公室"，到各省市之后，地方和军队都是联合办公的，当时比较乱，实际上力量是以军队为主，军队是以军事医学科学院为主，张剑方任主任，（还有一个叫白冰秋的）白冰秋是五所的。他们当时提出微生物

11

流行病研究所，主要是周义清他们那样，涉及现场的问题，防治疟疾两大块，防主要由五所，五所白冰秋是所长，他们出了一批人，还有田辛，他们很多人都到现场去了。当时总后卫生部就科研处一个助理员叫刘计晨，刘计晨是一个重要骨干。实际上当时张剑方是一位领导加上白冰秋、刘计晨、周克鼎，周克鼎在业务上比较强，现在他已经去世了，要不然他是了解最全面、最具体的。当时"523办公室"成立这一段，两派已经形成，基本上这个领导，各个省市也好，处于瘫痪、半瘫痪状态。当时两派打架，下去抓工作真难，到下面抓人都抓不到。当时去开会的时候都是两派的代表。中央是毛主席批的，周总理亲自抓的。周总理到下面去办事都要写国务院的介绍信，卫生部的介绍信是不管用的。我们出去都带着国务院的介绍信，不然到下面各个省人都找不到。去了以后，国务院的介绍信是不一样的，抓革命促生产，一到那里就用介绍信亮相，这是国务院的介绍信，是战备任务，谁也不能妨碍的，都要支持，抓革命的事我们不管的，抓两派的事情，别找我们，找我们也没有权力处理，我们是抓生产的。这是我们的原则。两派的事情找你们当地的革委会，我们不管这个事，我们就是安排促生产，抓"523科研"，而且保密的，不能随便乱说，有几张王牌在我们手里头：中央领导的，国务院的介绍信，又是战备科研任务，又是保密任务。一般两派头头在我们这几张王牌以后他们也就不说了，也就会派人了。他们两派里面也要分工，也有人抓生产的。所以这样子逐步展开，开始的时候难度的确是很大。难度大是大，但是他们还是按照我们的规划执行，所以这个规划，当时是研读规划、不做修改，发现问题马上抓住。

傅良书：1967年5月，通知准备召开全国疟疾防治药物研究工作会议，当时还不叫"523"，这是后来为了保密才用代号叫"523"的，有"523办公室"、"523领导小组"、"523任务"、"523会议"等。当时就叫疟疾防治药物研究工作会议，这个会议实际上是总后勤部牵头的，当时参加的还有卫生部，国家科委，中国科学院，医学科学院，军事医学科学院等。当时军事医学科学院参加的人主要是五所的人，而且疟疾研究项目也主要是这个所，当时军事医学科学院已经成立了一个组，就是在计划处，专门抽出了一部分人要管这个事，要制订计划！参加会议的人我们军区去了3个人参加，一个是我们军区卫生部的副部长尹之美，另一个是我们军事医学科研所的副所长何斌，他是从台湾过来的，还有我。当时我了解的是参加的人除了我们部队的人，地方上都是造反派，军队里面也有造反派，我们五所去的也是造反派。除了我们军区，还有广州军区包括海南，还有几个军医大，还有寄生虫病研究所，军区好像主要是我们昆明和广州两个军区，当时主要还是考虑到疟疾流行区，像上海寄生虫病研究所主要是可以参加研究工作的。当时的会议主要是下达任务。

开会时间好像没有一周那么久，大概四五天！当时参加的领导我记得有我们军事医学科学院的院长彭方复还有我们五所的所长白冰秋，还有国家科委的局长田野，还有卫生部科技局的陈海峰局长，但是这些人在会上都没有发言，都坐在后面不敢吭声，因为当时作为领导都是造反派的对象，能叫你参加就不错啦。我们就听到上面在喊口号，要批判啦，批判刘邓。当时很乱，我们在北京，除了造反派组织会议以外，就是下面的这些处长来搞计划，下达任务。当时人不是很多啊，就是一个一百多人的小会议室，各单位有代表就行了，不像后来，后来开会人比较多，当时主要是起到下达任务的目的啊。先把任务下达先要有人搞起来。

根据几位当事人的回忆可以清楚的看到当时会议是在社会环境比较混乱的情况下举行的，而且整个会议过程也显得有点杂乱。在"文化大革命"正如火如荼进行着的时候，要举行这样一个有着最高领导人指示的会议，更凸显出这样一个任务的重要性。

任务的展开

1967年5月30日疟疾防治药物研究工作协作会议结束后，不久，6月16日国家科委与总后勤部联合通知下达《疟疾防治药物研究工作协作会议》纪要和《疟疾防治药物研究工作协作规划》正式通知和安排"523任务"。在会议纪要中正式确定了由国家科委、国防科委、中国科学院、总后勤部、卫生部、化工部六个部门组成的领导小组；根据专业特点将个参加单位分为药物合成与筛选协作组、中医中药协作组、驱蚊剂协作组和现场防治协作组（包括制剂小组）四个协作组；根据地区的特点分为华东地区小组和华北西南东北地区小组；对工作任务的重要性和紧急性的进行强调。

《疟疾防治药物研究工作协作规划》对具体的工作进行了详细的规划。这份规划是根据会前军事医学科学院制订的规划经过与会同志的商讨之后修订而成的，规划中提出具体的任务：

1. 抗药性疟疾的防治药物；2. 抗药性疟疾的长效预防药；3. 驱蚊剂。

规划中对这三项任务进行了详细的规定，比如：要求在2~3年内找到3~4种不同类型的，对抗药性疟疾防治有效的新药，提供部队使用；必须在克服抗药性的基础上，使预防药物达到长效；要求研制出长效的外用驱蚊剂或口服驱蚊剂，有效时间外用的要求在24小时以上，口服的要求在12小时以上，安全、副作用小，使用方便。

根据这三项战备任务及其指标要求，任务分以下五个专题进行研究（见图1）：

图1 最初三年规划的五个专题

每个专题组都有详细的部门分工，参与单位，主要的研究内容以及研究进度的安排要求。

为了更好的实现规划，会议认为必须加强领导，密切协作，及时交流经验，提出了以下组织落实意见：

1. 疟疾防治药物研究工作协作领导小组由以下几个部门组成（见图2）：

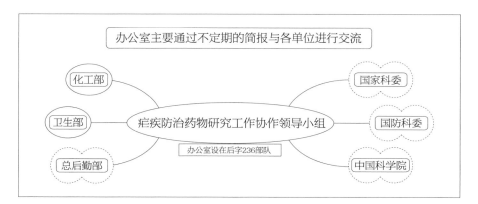

图2 1967年疟疾防治药物研究工作协作领导小组

2. 根据专业的特点将协作组分为四个（见图3）：

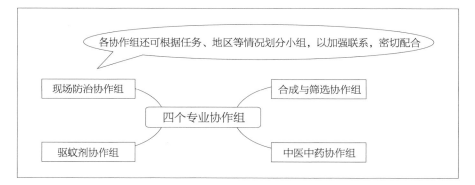

图3　1967年四个专业组

3. 要求承担规划任务的各基层单位所在地区的省（市）科委、军区、卫生厅（局）及各基层单位，要认真领导这项工作。科学技术人员要和工农兵相结合，实验室和临床现场相结合……胜利完成这项紧急战备任务。

4. 此项研究任务按秘密级规定执行。

523任务的执行程序可以简单的用下图表现出来（见图4）：

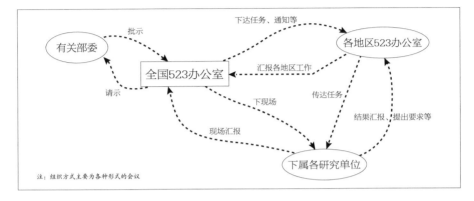

图4 任务执行图

"523任务"的机构组成

早期的机构组成（1967年至1971年）

（1）组织机构

在1967年5月23日至30日的会议上正式确定了疟疾防治研究工作领导小组，其组织机构如下图（见图5）：

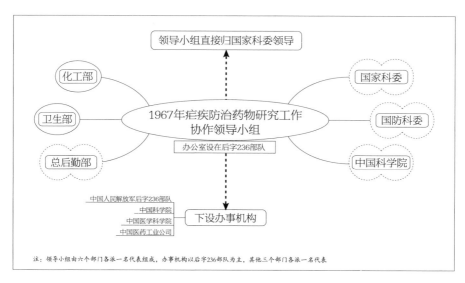

图5 领导小组的组织机构

　　领导小组由国家科委、国防科委、总后勤部、卫生部、化工部、中国科学院各派一名代表组成。领导小组直接归国家科委领导。领导小组下设办事机构，以中国人民解放军后字236部队为主，中国科学院、中国医学科学院、中国医药工业公司各派一名组成。办公室设在后字236部队，负责处理日常研究协作的业务工作，交流科研情况。先后由中国人民解放军军事医学科学院副院长彭方复少将和祁开仁少将分管领导，由白冰秋任办公室主任，张剑方任副主任。

　　在《疟疾防治药物研究工作协作规划》将1. 疟疾防治新药的化学合成和筛选；2. 中医中药、针灸防治疟疾的研究；3. 驱蚊剂的研究；4. 疟疾防治药物的制剂和包装的研究；5. 疟疾防治药物现场效果观察等五个专题划分为四个协作组，并规定了各组的正、副组长和相关的任务，分别为：

1）合成与筛选协作组，组长为后字236部队，副组长为：上海医药工业研究院和中国医学科学院药物研究所。下面再分为两个地区性小组：华东地区小组和华北西南东北地区小组。

2）中医中药协作组，组长为中国医学科学院药物研究所，副组长为上海针灸研究所和后字236部队。

3）驱蚊剂协作组，组长为后字236部队，副组长为上海医药工业研究院和第七军医大学。

4）现场防治协作组（包括制剂小组），组长为后字236部队和中国医学科学院寄生虫病研究所，副组长为昆明军区后勤部军事医学研究所、广州军区后勤部卫生防疫研究所和南京军区后勤部卫生部。

各协作组组长的任务为：

1）掌握情况，督促检查；

2）交流学习毛主席著作的经验和工作经验；

3）协调计划，促进落实；

4）上情下达，下情上传，"互通情报"。

1968年抗疟研究工作第二次协作会议对抗疟研究协作工作的组织领导、任务分工、各部门的工作职责以及保密工作等作了具体规定，研究任务的总体情况与1967年第一次会议时制订的三年规划没有多大的改动，但是对各领导组的任务有了更细致的规定，对保密方面也有了明确的文件规定：

要求各级领导组均称为"五二三"领导组，所属办公室均称为"五二三"办公室，各专业组的代号，统称为"五二三专业协作组"。中药协作组称为"五二三第一协作组";合成药协作组称为"五二三第二协作组";针灸协作组成为"五二三第三协作组";驱驱避剂协作组成为"五二三第四协作组"。并要求今后凡过渡临床使用以及定型生产的药物一律编用代号。对参加研究工作的人员,应按秘密级规定,由各单位进行审查。

随后,根据会议规定,经领导组会议讨论决定,原用的"疟疾防治药研究领导组办公室"印鉴改为"北京五二三领导组办公室"。

这时领导办公室的印鉴的更改是当时保密工作的一个重要体现,在1968年会议后,除了印鉴方面的更改,根据会议的规定,后来许多单位筛选的药物都使用相应的数字来命名。这也是在本文后面相关章节中可以读到大量的药物代号的原因。

（2）科研机构

在1967年至1970年的研究协作规划中介绍,主要参与的科研机构如下:

1）疟疾防治新药的化学合成和筛选组

该组对防治药物的研究有明确的分工,其中对应的参加药物合成的单位有后字236部队、上海第二制药厂、上海第十四制药厂、上海医药工业分公司、上海医药工业研究院、沈阳医药工业分公司、中国科学院药物研究所、中国医学科学院寄生虫病研究所、中国医学科学院药物研究所、重庆医药工业分公司等10家,其中每一家单位至少承担两项研究任务,承担最多的是上海医药工业研究院承担有6项研究任务。而参与筛选药物的主要有第二军医大学、第七军医大学、后字236部队、中国科学院药物研究所、中国医学科学院寄生虫病研究所、中国医学科学院药物研究所、江苏省血防所、山东省寄生虫病研究所、四川中药研究所等9家，这些单位一般都是承担着一到两项筛选任务，其中筛选出来的有显著抗疟作用的药物由前六个单位负责过渡临床前的药理，病理，毒理试验等。筛选药品的来源主要有后字236部队、上海第二制药厂、上海第十四制药厂、上海医药工业分公司、上海医药工业研究院、沈阳医药工业分公司、中国医学科学院寄生虫病研究所、中国医学科学院药物研究所、重庆医药工业分公司以及北京、沈阳地区。

2）中医中药、针灸防治疟疾组

该组的研究题目分为三个，其中四川省中医中药研究所、第七军医大学、江苏无锡血吸虫病防治所、江苏中医研究所、中国科学院药物研究所、后字236部队、上海医药工业研究院、中国医学科学院药物研究所等8家单位承担的主要是常山及其他抗疟有效中药的研究；而对于民间防治疟疾有效药物的疗法的重点调查研究主要由云南、广西、广东海南地区的省、自治区科委及卫生厅指定相关参加单位和主要负责单位，另外还有一些外地的参加单位，比如云南区有重庆中医中药研究所、上海中国科学院药物研究所、上海医药工业研究所、后字236部队，广西区有南京中国科学院植物研究所，上海中国科学院药物研究所，上海医药工业研究院、后字236部队，广东海南区有北京中国医学科学院药物研究多，上海医药工业研究院、后字236部队；第三个针灸防治疟疾的研究主要由上海市针灸研究所、中国医学科学院寄生虫病研究所、广州中医学院针灸教研组、南京中医学院针灸教研组和苏北人民医院承担。

3）驱蚊剂的研究组

该组有两个研究题目，其中驱蚊剂现场部队试用效果观察及提高改进主要分为昆明和广西两个现场，昆明现场由昆明军区后勤部军事医学研究所负责组织和制订具体计划，参与研究单位为第七军医大学、中国医药工业公司西南分公司、南京军区后勤部卫生部、后字236部队；广西现场由后字236部队负责组织，上海医药工业研究院制剂室派人参加。另一分题为体外气味驱蚊剂和口服驱蚊剂的研究主要由中国医学科学院药物研究所、昆明植物所、华南植物所、南京植物所、昆明中药研究所、四川省中药研究所、广东中药研究所、上海医药工业研究院、上海第二军医大学、中国科学院动物研究所、南京制药厂、重庆西南制药厂、上海医药工业分公司、天津农药实验场、中国科学院华东昆虫研究所、第七军医大学、后字236部队、上海劳动卫生职业病研究所、卫生部药品生物制品检验所、上海塑料二厂等参加。

4）疟疾防治药物的制剂和包装的研究

该组有三个研究项目，片剂剂型的研究主要由上海医药工业研究院、上海第十一制药厂负责，上海中州药厂、上海寄生虫病研究所、上海第二军医大学协作；注射剂剂型的研究由上海第十制药厂、后字236部队、上海医药工业研究院、上海医药工业研究院等负责，上海寄生虫病研究所、上海中州药厂、上海第二军医大学等协作；中药剂型的研究由上海医药工业研究院、重庆中药研究所负责，上海医学科学院药物研究所、上海寄生虫病研究所、上海第二军医大学、第七军医大学等协作。

5）疟疾防治药物现场效果观察

该组主要分为海南现场、昆明现场和南京现场，负责有多种药物的现场观察，主要负责的单位有广州军区后勤部卫生防疫研究所、中国医学科学院寄生虫病研究所、海南军区后勤卫生处、海南寄生虫病研究所、昆明军区后勤部军事医学科学研究所、云南省疟疾防治所、南京军区后勤部卫生部、江苏无锡血吸虫防治所、上海针灸研究所、后字236部队、江苏中医研究所、四川中医中药研究所、第七军医大学等。

在1967年制订的规划中，参加的单位达五十多家，而且数家单位同时承担着多项研究任务。还有一些单位是没有在规划中却参加了相关的研究工作，比如1967年至1969年参加"全国523专业小分队"现场工作的单位还有西安后字244部队、广州军区卫生防疫研究所、海南军区187医院、广东寄生虫病研究所、海南军区防疫队、海南人民医院、广州中山医学院、北京中医研究院广安门医院、北京反帝医院、南京军区军事医学研究所、南京军区八一医院等，后来由于某些原因陆续又有一些单位参与进来，比如中医研究院中药研究所是1969年1月参与进来的。

截至1971年年初，参与"523任务"的科研机构达七十多家。

中期的领导部门的更换及其后的科研机构
（1971年至1981年）

1967年正值"文化大革命"的高潮，虽然大多科研工作都处于停顿状态，但由于"523任务"来自最高领导，所以尚能继续进行。但是，由于文革期间从国家部委到地方行政机关和科研单位的运行，因运动而多次波动，整个领导、组织系统也发生了很大的变化，新上任者不一定知道这项任务的重要性，"523任务"的执行也出现了困难。此外，1967年制订的三年疟疾防治研究规划也已到期。因此，卫生部军管会、燃料化学工业部（后简称化工部）、中国科学院、总后勤部于1971年3月16日向国务院、中央军委提交了

《关于疟疾防治研究工作情况的请示报告》。报告建议调整领导小组，由卫生部任组长，总后勤部任副组长，办公室仍设在军事医学科学院。1971年4月15日，国务院和中央军委下达了（71）国发文29号文件，批示了"请示报告"，同年5月22日，全国疟疾防治研究工作座谈会在广州召开，会上"523领导小组"由原来的国家科委（正组长）、中国人民解放军总后勤部（副组长）、国防科委、卫生部、化工部、中国科学院6个部门改为由卫生部（正组长）、总后卫生部（副组长）、化工部和中国科学院三部一院领导，办公室仍设在军事医学科学院，此外会议还制订了1971年至1975年的全国疟疾防治研究五年规划，调整了相应的研究计划和研究力量等。

笔者看见会后不久的一份文件中出现了全国疟疾防治研究领导小组的新印鉴，但是并没有相关的说明，为此笔者询问原"523办公室"的施凛荣先生。

黎： 我看见北京抗疟研究领导组（代称"北京五二三领导组"，印鉴为：疟疾防治药研究领导组办公室于1968年6月改为"北京五二三领导组"），地区抗疟研究领导组（代称"地区五二三领导组"，印章也相应的改了），但是后来（1971年开始）又出现了很多全国疟疾防治研究领导小组的印鉴，"北京五二三领导组"的印鉴则很少看到使用，从内容上看给我的感觉是：早期的"北京五二三办公室"其实执行的是全国疟疾防治研究领导小组的工作，但是从1971年广州会议之后，更进一步加强了领导所以改为全国疟疾防治研究领导小组，而北京地区与其他地区一样有了"地区五二三办公室"。

施：1967年"523会议"后用的是疟疾防治药物领导小组办公室的印章，因为"五二三"不仅是药物研究一项，加上当时国内比较混乱，为保密，1968年杭州会议后改为"北京（全国）五二三领导小组办公室"。各地区为与北京区别，都加上"地区"两字。1971年后，有些机构、单位不甚明了"五二三"是干什么的，加上国内疟疾广泛流行，"五二三"的一些成果推广使用，中原五省（鲁豫苏皖鄂）一些机构单位也接受有关药物的临床试用研究（湖北、河南等）任务，又加刻了全国疟疾防治研究领导小组及办公室的印章。但"五二三"印章从未停止使用，并印制了相应的两种信笺和信封。北京地区一直就有领导小组，只不过办公室都是由全国办公室直接管理。

由此可以看出当时"523领导办公室"总是随着国内各种形式的变化做出相应政策的调整。会后，除了原有的科研单位之外，由于科研的需要又有一些新的研究单位加入进来，比如北京生物制品研究所、北京医学院、北京制药工业研究所等，而且，随着后字243部队搬到西安，西安制药厂作为协作单位等也都参与了进来。除此以外，后来还陆续有很多单位不直接参与"523任务"，但是却是间接的与"523任务"有联系。他们主要是参与"523任务"的一些单位找的协作单位。

根据资料显示，三部一院的领导直到1978年国家医药管理总局成立后才有了改变，1979年9月4日，国家医药管理总局文件（79）国药工字第387号，提出按化工、医药交接会议上已明确的方案，从1980年起医药军工科研项目化工部不再负责。此外还提出，"五二三项目"近年来承担任务不多，且属军民两用项目，自1980年起纳入各级民用医药科研计划之中，不再另列医药军工科研项目。此后的领导小组由原来的三部一院变为卫生部、国家科委、国家医药管理总局、总后勤部四个部门，化工部和中国科学院不再属于领导单位。

截止到1981年3月，全国疟疾防治研究领导小组解散时，卫生部、科委、医药管理总局和总后勤部给参加"523任务"的单位（集体）和领导小组个人联合颁发了奖状。当时获奖的条件为：

1）组织领导"523"研究工作有显著成绩的；

2）取得"523"重大科研成果的研究单位，参加单位和主要协作单位；

3）长期坚持"523"工作，在科技情报、产品鉴定、技术等方面取得显著成绩的；

4）在生产、推广"523"科研成果方面成绩突出的。

注：完成"523"科研任务成绩突出的，奖状发到单位。取得重大成果者，奖状发到任务组和研究室。

获奖的单位（集体）共有134个，其中科技系统有17家，医务卫生系统有55家，医药化工系统27家，部队系统26家，轻工、高教及其他系统9家；获奖个人有北京、广东、广西、南京、上海、四川、云南七个地区的85位。

"523任务"组织机构撤销前后的工作

1980年8月25日卫生部、国家科委、国家医药管理总局、总后勤部四个领导部门联合向国务院和中央军委请示——将防治疟疾科研项目纳入有关部委省市计划，撤销全国协作组织机构，建议撤销全国疟疾防治研究领导小组，该文件由黄树则、赵东宛、黄开云、贺彪签发，钱信忠阅后再转由国务院副总理陈慕华批示并由万里和方毅同志圈阅同意。文件中拟定于1980年第四年度在北京召开各地区疟疾防治研究领导小组、办公室负责同志座谈会，会议于次年才召开。1981年3月3日至3月6日，在北京举行了"各地区疟疾防治研究领导小组、办公室负责同志座谈会"。会上对"523"协作组织进行了调整，认为"523"的组织形式发生了变化，但是疟疾防治研究任务作为医药卫生科研重点项目，纳入有关部、委、省、市、自治区和军队的经常性科研计划内；而且，鉴于"523"协作组织的调整，国家卫生部在医学科学委员会下成立了疟疾专题委员会，军队也决定由总后卫生部组织，拟定于同年5月在流行病专业组内成立疟疾防治专题组。同年5月11日，四个领导部门作为全国疟疾防治研究领导小组联合颁发了的最后一个文件——转发《疟疾防治研究领导小组、办公室负责同志座谈会纪要》的通知。该通知除了转发疟疾防治研究领导小组、办公室负责同志座谈会纪要以外，还对整个"523"的善后工作做了总体的规划——"523办公室"的文件、技术档案、经费、物资等如何移交由地区领导小组主管部门确定；有关主管部门和原单位对长期脱离原单位专职担任"523"科研组织管理工作的工作人员要做出妥善安排。不过根据后来部分科研人员回忆以及查阅部分单位的档案结果显示，很多技术档案并没有得到妥善的处置而是遗失了。

截止到1981年3月，整个"523任务"的军民大协作的组织模式告一段落，但是与"523任务"相关的工作并未就此停止。可以说，当时对"523任务"的总体工作善后做得比较完善，地方上疟疾防治相关的工作主要由疟疾专题委员会负责，军队内部也设立了相应的疟疾防治组，不过当时遗留的一些问题并没有得到很好的处理，比如青蒿素获奖相关的问题，命名的问题也没有明确的文件指示，以至于这些问题到现在还存在争议。随后为了适应新的国际形势，加强中国与世界卫生组织等机构的合作与联系，组织和协调国内正在研究和开发的青蒿素及其衍生物等项目，根据世界卫生组织的建议，1982年3月20日，卫生部、国家医药管理总局决定联合成立中国青蒿素及其衍生物研究开发指导委员会（后简称为青蒿素指导委员会）。从后来疟疾专题委员会内部出版的一些资料看来，这些资料中与青蒿素相关的研究较少涉及，1985年和1990年出的两本资料资料汇编收集的文章或摘要有700多篇，其中涉及青蒿素及其衍生物的只有20篇左右，而且基本都是和其他药物联合使用的。可能因为青蒿素由青蒿素指导委员会专门负责，因而疟疾专题委员会则较少涉及。

注：本书主要材料来源于2011年前

2011年屠呦呦获得拉斯克奖

少女时期的屠呦呦

青年时期的屠呦呦

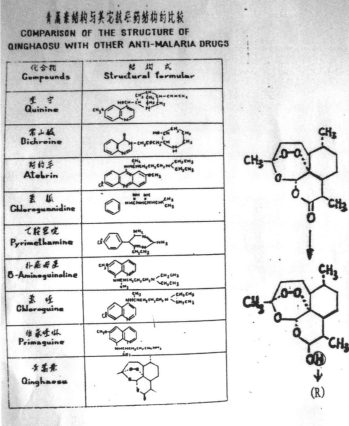

青蒿素

双氢青蒿素

青蒿素和双氢青蒿素的
分子结构示意图

1976年在柬埔寨寻找蚊子

第二章

青蒿素的发现

荣誉也不是我个人的，还有我的团队，还有全国的同志们，
这是属于中医药集体发掘的一个成功范例，
是中国科学事业、中医中药走向世界的一个荣誉。
——呦呦说

青蒿抗疟作用的再发现

在"523任务"制订的五个专题的中医中药、针灸防治疟疾的研究规划方案里的第二项为"民间防治疟疾有效药物和疗法的重点调查研究"，在其备注根据文献调查作为重点研究对象的药物中已包含有青蒿（列在第五个），不过在此后的记录中没有发现有关青蒿筛选的相关记载。据多位科研人员回忆他们也做过相应的初筛，但是由于当时许多中药对疟疾的治疗效果从退热的角度来讲都可能差不了太多，而且当时做的是初筛工作，筛选的中药数量不计其数，如果不是表现极其出众的可能都会被忽略掉。

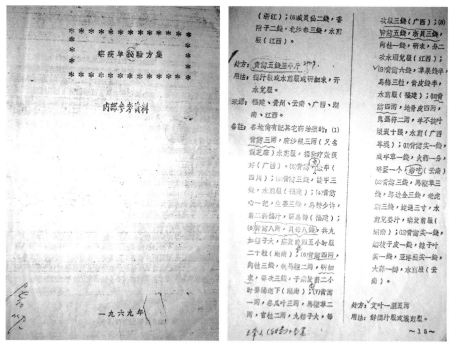

图6 《疟疾单秘验方集》　　　　图7《疟疾单秘验方集》中有青蒿一页

　　中医研究院中药研究所于1969年1月接受"523任务"，随后，即以中医研究院革委会业务组的名义于同年4月便总结了一本《疟疾单秘验方集》，（图6）文中15页（图7）记载了青蒿，"处方：青蒿五钱至半斤；用法：捣汁服或水煎服或研细末，开水兑服；来源：福建、贵州、云南、广西、湖南、江西。"其中还有备注各地使用青蒿与其他药物配伍治疗疟疾的，药方共有13个。

　　不过1969年北京中药所主要集中于"52号药"的研究，并没有对青蒿抗疟作用有过多的研究。1970年，北京中药所的研究人员余亚纲再次查阅中医药文献，有依据的提供药物筛选，其中十分重要的参考书是上海中医文献研究馆汇编的《疟疾专辑》，（图8，9）他将《疟疾专辑》中所记载的方剂依次编号，计数808，其中非常山组方有519方，另加《图书集成医部全录》中"疟门"所收的专辑未载的无常山组成的方55方，总计574方为分析对象，（图10）然后把其中的单方陈列出来，并对其进行分析归纳，依据在太平惠民和剂局方以前的总结为一个表，在其之后的方剂总结为另一个表；这些中药中有单独使用的，也有简单与其他药物配伍的，删去重复的之后总结为第三个表；列出重点筛选的药物为：乌头、乌梅、鳖甲、青蒿等，主要是因为它们有单方使用经验，在复方中也频繁出现，有基础，认为它们值得反复动物筛选。此后送军事医学科学院进行鼠疟模型的筛选，筛选了近百个药方，青蒿提取物曾出现过对鼠疟原虫有60%~80%的抑制率，但效果不太稳定。

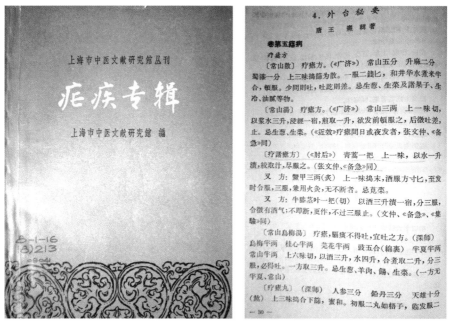

图8 《疟疾专辑》封面　　　　　图9 《疟疾专辑》其中一页

　　据研究人员回忆：当时常规用水、酯、醇三种类型的溶剂提取，发现青蒿的醇提取物有效，虽然每次效果不太稳定，但进行了多次复筛疟原虫抑制率最高时达到90%，此外，还有一个药物雄黄，最高时出现过对鼠疟原虫达近99%的抑制率。余亚纲最开始将注意力主要集中在雄黄上，但由于军事医学科学院的研究人员顾国明提出异议：雄黄为砷硫化物矿物之一，加热到一定温度后在空气中可以被氧化为剧毒成分三氧化二砷，所以不宜广泛使用，尤其是在作战的军队中使用，中央估计不会批准，所以对雄黄的研究工作后来便中止了，于是余亚纲放弃了雄黄转而注意抑制率第二的青蒿，并将其结果告知业务领导屠呦呦。一段时间后，屠呦呦指示筛选以下几类药物：矿物药：黄丹、雄黄、硫黄、皂矾、朱砂等；动物药：鼠妇、地龙、蛇蜕、穿山甲、凤凰衣等；植物药：地骨皮、甘遂、黄花、菱花、鸦胆子、青蒿、马鞭草等。（图11）根据材料显示，研究重点在黄丹等矿物药及其配伍。1971年年初（在火车上过的新年），余亚纲被调离“523任务”组，分配到气管炎办公室，并立即赴东北地区。

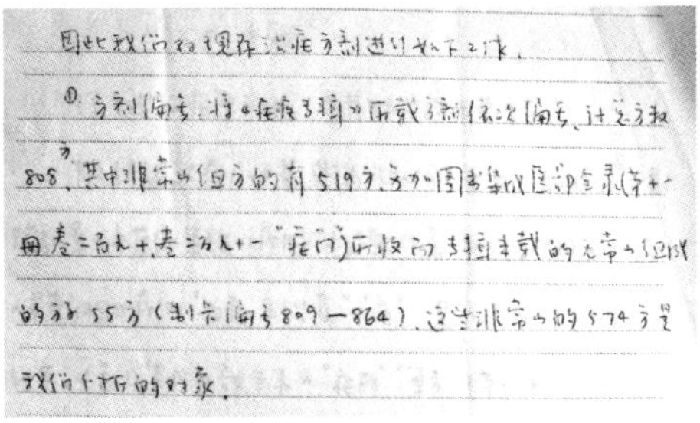

因此我们和现在治疟方剂进行如下工作。
①方剂编号，将《疟疾专辑》所载方剂依次编号，计总方数808，其中非常山组方的有519方，另加国家级医部全录第十一册卷二百九十、卷二百九十一“疟门”所收而专辑未载的非常山组成的补55方（剂号编号809—864），这些非常山的574方是我们分析的对象。

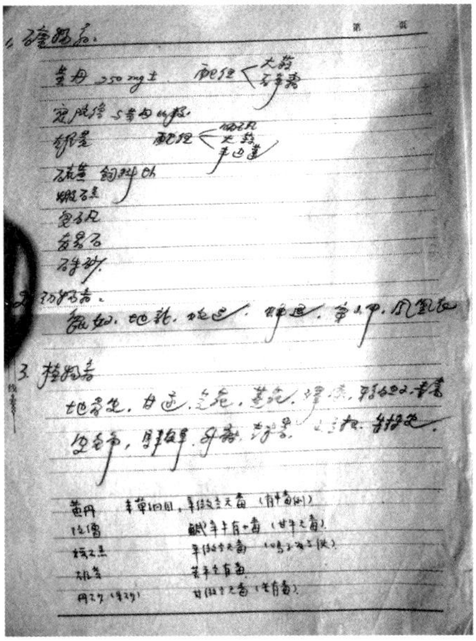

图10 余亚纲整理的部分内容

图11 屠呦呦送筛药物名单

1971年5月22日，全国疟疾防治研究工作座谈会在广州召开，会上“523领导小组”由原来的国家科委（正组长）、中国人民解放军总后勤部（副组长）、国防科工委、卫生部、化工部、中国科学院6个部门改为由卫生部（正组长）、总后卫生部（副组长）、化工部和中国科学院三部一院领导，此外会议还制订了1971年至1975年的全国疟疾防治研究五年规划等。中医研究院中药研究所因人力不足，从中草药中寻找抗疟药难度比较大，所以在会上提出打算下马不干，卫生部没有同意。屠呦呦曾表明，在对胡椒提取物进行实验研究之后，由于其对疟原虫的抑杀作用不理想，经过100多个样品筛选的实验研究工作，不得不再考虑选择新的药物，同时又复筛以前显示较高药效的中药。因为中药青蒿曾出现过68%的抑制率，后来对青蒿进行复筛，发现结果不好，只有40%甚至12%的抑制率，于是又放弃了青蒿。1971年下半年，中医研究院中药研究所的研究人员屠呦呦等初步筛选了中草药单、复方100多种，青蒿也在其中。他们先是发现青蒿的水煎剂无效，95%乙醇提取物的效价只有30%~40%，复筛时从本草和民间的"绞汁"服用的说法中得到启发，改用乙醚提取，使青蒿的动物效价由30%~40%提高到95%以上。最终发现青蒿的乙醚提取物对鼠疟模型有95%~100%的抑制效价。他们也用过乙醇提取，发现乙醇提取物虽然还有乙醚提取的物质，但是杂质多了2/3，从而影响到了药物的效价。后来他们进一步提取，去除其中无效又比较集中的酸性部分，得到有效的中性部分。12月下旬，进行了猴疟试验，结果与鼠疟相同。屠呦呦认为是她看了东晋葛洪《肘后备急方》中将青蒿"绞汁"用药的经验，从"青蒿一握，以水一升渍，绞取汁，尽服之"截疟，悟及可能有忌高温或酶解等有关的思路，改用沸点比乙醇低的乙醚提取，并将该提取物分为中性和酸性两部分，经反复实验，才于1971年10月4日分离获得的191号（也有资料显示为91号）的青蒿中性提取物样品显示对鼠疟原虫100%抑制率。

青蒿的抗疟有效单体成分的提取时间与命名

在中医研究院中药研究所最先得到初步青蒿提取物抗疟有效的实验结论后，除了中药所本单位以外，山东省中医药研究所和云南省药物所在不同的时间得知该试验结果后也进行了相应的研究。对此，已经有不少相关的报道，下面将对这几家单位的研究经过做一简单梳理。

中医研究院中药研究所

自1971年下半年，中医研究院研究人员提取到的青蒿乙醚提取物对鼠疟原虫能达到100%的抑制率的同时，他们发现青蒿乙醚提取物的毒性较大，安全系数较低，因此他们一方面想办法提高药物的效价，另一方面尽可能降低毒性。经过分离提取的摸索，他们发现用氢氧化钠去除的酸性部分正好是无效而毒性又比较集中的部分。留下来的中性部分毒性显著降低，而且单位效价也有所提高。

1972年3月，"全国523办公室"在南京召开化学合成药和中草药两个专业组会议，屠呦呦在中草药专业组会议上报告了青蒿对鼠疟原虫近期抑制率可达100%的实验结果。根据当时会议情况记录，会上提到的中草药有多种：

鹰爪在肯定有效单体临床效果的基础上，正在进行化学结构测定；仙鹤草已初步分离出有效化学单体，待临床效果肯定后进行化学结构测定；青蒿、臭椿、伞花八仙、绣球、南天竹、云南马兜铃、五朵云等大部分药物已提出有效成分，正在进行实验室与临床的研究提高工作。会议建议：鹰爪要尽快测定出化学结构，并继续进行合成的研究；仙鹤草再进一步肯定有效单体临床效果的基础上，搞清化学结构；青蒿、臭椿等重点药物，在肯定临床效果的同时，加快开展有效化学成分或单体的分离提取工作。

这是首次在523任务专业组会议上提出青蒿提取物的抗疟有效作用，中医研究院中药研究所于当年年底从青蒿乙醚中性部分浸膏中分离得到青蒿甲素、青蒿素、青蒿乙素三种晶体，其中前两者为白色针状结晶，后者为白色方晶，其中青蒿素是有抗疟有效作用的。针对青蒿素提取的时间和当时青蒿素的命名存在一定的分歧：屠呦呦认为分离得到几种晶体的时间为1972年11月8日，当时有效单体就是青蒿素。根据《迟到的报告》（张剑方著，羊城晚报出版社2006年出版）上所写是1972年年底，中药研究所分离提取出了多个单体成分，其中1个有抗疟效果的提取物命名为"青蒿素Ⅱ"。还有其他的一些来自当时中医研究院中药所的资料都显示为1973年在青蒿乙醚提取中性部分的基础上进一步提取得到有效单体——青蒿素Ⅱ，在硅胶柱层析分离出青蒿素Ⅱ结晶之后，又得到一种白色方形结晶，暂称为青蒿素Ⅲ。此后还有相关的资料表明当时中医研究院提取到的"青蒿素Ⅱ"便为有效单体，并且中医研究院用此单体进行了相应的临床疗效观察，包括从1974年2月开始到中国科学院上海有机化学研究所进行结构测定，一直到1975年的临床试验始终都用"青蒿素Ⅱ"这个名称，而不是用单独的"青蒿素"。

关于命名到底是什么，笔者访谈了中医研究院的部分科研人员，其中一位科研人员口述：

倪慕云参加屠呦呦科研组后，设计了色谱柱分离的前处理，即将青蒿乙醚提取物中性部分和聚酰胺混匀后，用47%乙醇渗滤，渗滤液浓缩后用乙醚提取，浓缩后的乙醚提取物的抗疟作用进一步提高，但是试图用氧化铝柱层析方法分离，没有得到任何固体成分。后来钟裕蓉认为用硅胶柱代替氧化铝柱分离中性化合物更为合适，以石油醚和乙酸乙酯－石油醚溶液进行梯度洗脱，最先得到含量大的方形结晶，编号为"结晶Ⅰ"；随后洗脱出来的是针形结晶，编号为"结晶Ⅱ"，这种结晶含量很少；再后得到的另一种针形结晶，编号为"结晶Ⅲ"。经鼠疟试验证明，"结晶Ⅱ"是唯一有抗疟作用的有效单体。以后，中药所向"全国五二三办公室"汇报时，将抗疟有效成分"结晶Ⅱ"改称为"青蒿素Ⅱ"。

综合各种材料的分析，由于是从中药青蒿中提取出来的结晶，笔者更倾向于认为当时的命名是由"结晶Ⅱ"转变为"青蒿素Ⅱ"，因为除了上述材料中以外，很多人物的回忆也表明最初用的是"青蒿素Ⅱ"，而且根据当时一些人员的工作日志显示也是如此。

山东省寄生虫病研究所与山东省中医药研究所

1972年3月参加完在南京召开"523中草药专业会议"的山东省寄生虫病研究所回去后借鉴中医研究院中药研究所的经验，应用山东省所产的青蒿乙醚及酒精提取物治疗疟疾，经动物试验，获得较好的效果并于1972年10月21日向"全国523办公室"做了书面报告。山东省寄生虫病研究所的实验结果中指出：黄花蒿的提取物抗鼠疟的结果与中医研究院青蒿提取物的实验报告一致。后来山东省寄生虫病研究所与山东省中医药研究所协作，1973年10月开始做有效单体的分离，当时研究人员很少，只有两人在做相关的工作，1973年11月在山东省中医药研究所从山东省泰安地区采来的黄花蒿（*Artemisia annua* L.）中提取出7种结晶，其中第5号结晶命名为"黄花蒿素"。这个结晶也就是当时山东省提取出来的抗疟有效晶体。

云南省药物所

　　1972年年底，昆明地区523办公室傅良书主任到北京参加每年一度的各地区523办公室负责人会议后得知中医研究院中药研究所青蒿研究的一些情况，回去后召他召集云南药物所的有关研究人员开会，向云南省药物所传达了这一消息，并指示利用当地植物资源丰富的有利条件，对菊科蒿属植物进行普筛。在1973年春节期间，云南药物所的研究人员罗泽渊在云南大学校园内发现了一种一尺多高、气味很浓的艾属植物，当下采了许多，带回所里晒干后进行提前。当时她并不认识这种植物，是学植物的刘远芳告诉她这是"苦蒿"。"苦蒿"的乙醚提取物有抗疟效果，复筛后结果一样。后来他们边筛边提取，1973年4月分离得到抗疟有效单体，并暂时命名为"苦蒿结晶Ⅲ"，后改称为"黄蒿素"。分离出来抗疟有效物质后不久，所里的罗开均将苦蒿的植物标本送请中国科学院昆明植物研究所植物学家吴征镒教授鉴定，确定这种苦蒿学名为黄花蒿大头变型，简称大头黄花蒿（*Artemisia annua* L. f. *macrocephala* Pamp.）。后又从四川重庆药材公司购得原产于四川酉阳的青蒿，原植物为黄花蒿（*Artemisia annua* L.），并分离出含量更高的黄蒿素。

　　《迟到的报告》一书中所描述的山东省和云南省的研究过程与1974年2月28日三家在中医研究院中药研究所开会时所保留下来的会议记录资料内容相一致。

　　总之，可以明确的是，在屠呦呦介绍了青蒿的乙醚提取物的有效之后，山东寄生虫病研究所与随后的协作单位山东省中医药研究所，云南省药物研究所都独立进行青蒿的提取工作，其中山东省中医药研究所和云南省药物研究所各自得到了抗疟有效单体，并分别命名为黄花蒿素（山东）和黄蒿素（云南），在化学结构尚未得到证实的情况下，由于都是从植物黄花蒿（或其变种）中分离出来的唯一的抗疟成分，故名称均与黄花蒿有关，而中医研究院中药研究所之前提取出来的命名为"青蒿素Ⅱ"的单体在1974年2月三家鉴定的时候、被看作是同一个化合物，也就是现在所称的"青蒿素"。由于青蒿与黄花蒿的植物特性不同，不同的单位侧重点有所不同，从中提取出来的抗疟有效单体的命名不同是理所当然的，目前也有很多人已对此展开过相应的研究，所以本文就不加以讨论。但是笔者通过资料了解到，当时三个单位提取出来的抗疟有效单体的命名改了很长没有统一，最后虽然统一为"青蒿素"，但是后来人们在回顾三家最早使用各自提取的单体进行临床验证的结果不同而引起质疑时，还是会联想到命名上的分歧。这将在本章的第四节加以阐述。

青蒿素结构的测定

中医研究院中药研究所自1972年年底从中药青蒿中分离得到不同的结晶之后，1973年便开始对青蒿素Ⅱ进行相关的结构测定，屠呦呦的小组确定青蒿素为白色针晶，熔点为156~157℃，旋光$[\alpha]_D^{17}=+66.3$（$c=1.64$，氯仿），经化学反应确证无氮元素，无双键，元素分析为（C63.72%、H7.86%），又利用自己单位与其他单位的仪器分别做了四大光谱的测定，明确其分子式为"$C_{15}H_{22}O_5$"，相对分子质量为282，后在北京医学院林启寿教授（已故）

指导下，推断青蒿素 II 可能是一种倍半萜内酯，属新结构类型的抗疟药。由于当时萜类是一个比较新的类型，而中医研究院中药研究所化学研究方面的研究力量和仪器设备薄弱，难以单独完成全部结构鉴定研究，当时国内做这类化合物研究的人比较少，后来查文献发现有机所的刘铸晋教授是搞萜类的，他从事这类化合物研究有较多经验，于是派人与有机所联系希望能一起协作做这个药物的机构测定。为此屠呦呦携带有关资料到上海有机化学所联系，由陈毓群同志接待。1974年1月由陈复函同意中药所派一人前往共同工作。

根据笔者收集到的文献资料表明，在1973年5月28日至6月7日在上海召开的疟疾防治研究领导小组负责同志座谈会上，领导小组对青蒿抗疟有效成分的化学结构测定工作做出了明确的指示："青蒿在改进剂型推广使用的同时，组织力量加强协作，争取1974年定出化学结构，进行化学合成的研究。"由于笔者未见到中医研究院中药研究所的原始文献记载，不能确定中医研究院中药研究所进行化学结构的研究是否是在会议做出了指示之后进行的。

1974年2月中药所派倪慕云带着当时中药所的一些研究资料和数量不详青蒿素前往上海有机所。

根据吴照华的回忆：当时由于刘铸晋已开始做液晶工作故将青蒿素工作移至周维善处，当时是周维善负责的一室，由于周维善原已经有自己的工作要做，遂将青蒿素的工作主要交由室里的吴照华做，但是吴照华会将一些实验结果告知周维善，周维善在午休或晚上下班后来与大家讨论。当时一室101组实验室在1号楼2楼，吴照华在大实验室227工作，吴毓林在219实验室工作，大实验室经常人来人往的，那时吴毓林亦经常去大实验室串门，所以彼此很熟悉。由于当时核磁共振是比较新的鉴定化合物的方式，比较陌生，因此经常将图谱请吴毓林看并向他请教。

倪慕云到达有机所之后，便开始与吴照华一起做实验，刚开始的时候主要是重复了一些在北京已经做过的实验，然后主要做一些相应的化学反应和波谱数据方面的研究。自1974年2月起，中药所先后派出倪慕云（1974年2月至1975年年初）、钟裕容（时间很短，2~3个月）、樊菊芬和刘静明到上海有机所参与青蒿素Ⅱ结构的测定工作。当时在有机所工作的研究人员会将结构测定的进展告诉留在北京的屠呦呦，屠呦呦再与林启寿或梁晓天教授等沟通，再将结果反馈给上海，为上海进行的结构测定工作提出参考意见。

当中医研究院中药研究所的研究人员与上海有机所的研究人员在进行化学结构测定的同时，1974年屠呦呦又在北京主持与中国科学院生物物理所协作，用当时国内先进的X衍射方法测定青蒿素的化学结构。

1975年4月上海药物所的李英在参加成都会议的时候听了中国医学科学院药物研究所所代表于德泉报告的鹰爪甲素（另一个含有过氧基团的抗疟单体）化学结构受到启发，回上海后便将此消息告诉了吴毓林，后来吴毓林推测青蒿素是否也是一个过氧化物，后通过定性以及定量分析，证明青蒿素也是一个过氧化合物。再参考南斯拉夫从同一植物中分离出的属倍半萜杜松烷(cadinane)类型的青蒿乙素(Arteannuin B)结构，提出了过氧基团处于内酯环的可能结构，为当时生物物理所的计算提供了有益的参考。完整的、确切的青蒿素结构最后是由生物物理所在化学结构推断的基础上，于1975年年底通过单晶X射线衍射分析才确定下来的；1978年再由反常散射的X射线衍射分析最后确定了青蒿素的绝对构型。

根据有关资料记载，由于中医研究院中药研究所有段时间未能提取到青蒿素，在"全国五二三办公室"的协调下，云南所和山东所为有机所提供了一些纯度较高的结晶供有机所化学结构鉴定用。

在结构测定的过程中，几家有关单位有很多的交流与沟通，大家都为结构测定做了很多工作。尤其是在当时全国各种科研条件相当落后的情况下，很多参加研究的单位没有相应的实验器材，在"523办公室"的协调与组织下，几乎动员了当时国内最先进的仪器来做青蒿素的结构测定工作，因此青蒿素的结构测定的工作能够在当时国内各种条件都比较落后的条件下顺利完成，是整个523小组与其他协作单位共同努力的结果。

临床验证

在当时的特殊环境下，快速找到对恶性疟有效的可用于临床的药物才是最终目的，因此实验室工作必须为临床服务。也只有通过临床上验证某药物有效后才能成为真正的药物。正因为如此，不同的单位分别独立完成了自己的青蒿（黄花蒿）提取物的临床验证。

青蒿乙醚提取中性部分的临床验证

最早将青蒿的粗提取物用于临床验证的是中医研究院中药研究所。在1972年中医研究院中药研究所有关人员于当年8月24日至10月初用青蒿的乙醚中性提取物（91号）在海南昌江地区对当地低疟区、外来人口的间日疟11例，恶性疟9例、混合感染1例进行临床验证。并用氯喹治疗恶性疟3例，间日疟例进行对照观察。

当时的疗效标准为：

痊愈：症状在72小时以内控制，疟原虫血片转阴，出院后（一般住院4~5天）7~12天复查，无症状，血片疟原虫未现。

有效：症状在72小时以内控制，疟原虫血片转阴或未转阴，出院后7天到12天复查，症状发作，血片疟原虫再现。

无效：症状在72小时内为控制，血片疟原虫未转阴。

当时对青蒿一无所知，对青蒿治疗疟疾的临床验证也还是在十分早期的摸索阶段。

海南昌江使用青蒿乙醚中性部分临床观察疗效情况见下表（表1）：

表1 海南昌江青蒿乙醚中性部分临床疗效情况

疟型	使用剂量：每次 3g	总病例数	有疟史或地域	退热时间	平均退热时间(小时)	原虫平均转阴天数	疗效 痊愈	疗效 有效	疗效 无效	复发	备注
间日疟	Bid，连服 3 天	1	1	16°	36° 20′	5		1		2	一例未复查
		2		46° 30′		5	1	1			
	Tid，连服 3 天	1	4	8° 20′	11° 23′	2	1			2	
		3		12° 25′		2.3	1	2			
	Qid，连服 3 天	3	1	16°	19° 6′	2	2	1		1	
		1		27° 36′		2		1			
恶性疟	Bid，连服 3 天	1	本地		39° 50′	5		1			对疟原虫有抑制作用不能完全杀灭，转为有性体
		1	低疟区						1		
	Tid，连服 3 天	1	本地		24°	4	1				对疟原虫有抑制作用不能完全杀灭，转为有性体
		1	外来						1		
	Qid，连服 3 天	5	外来		35° 9′	1.75	1	4		4	

通过海南昌江的初次临床验证证明91号药对当地、低疟区、外来人口的间日疟和恶性疟均有一定的效果，尤其是对11例间日疟患者，有效率达100%，而且剂量越高组效果相对越好，复发例数也相对较少些。而对于恶性疟患者，低疟区患者中有一例对第一种方案无效，第二种给药方案中对6例外来人口中有1例无效，所以排除剂量、患者本身是否有免疫力等因素的影响，总共是有2例恶性疟无效。不过对于其中的1例混合感染的病例，文中没有相关的资料说明，是混合在11例间日疟中还是另有其人，由于时代久远，当时的参与者们也不记得了。由于有资料前面总结里说是21例，而后面又有文字说明如下：

"间日疟共验证11例，三种方案的有效率100%。其中1例是混合感染，症状主要由间日疟引起，故归入间日疟病例中统计。"

由此以及统计表格来判断，当时所做的总病例数并非21人，而是20人。

据有关资料显示，当时还用这个乙醚提取中性部分在北京302医院验证了间日疟9例，有效率也是100%。因此，单从疗效而言，1972年的临床验证结果表明青蒿的乙醚提取中性部分对疟疾治疗是有效的。

1973年，山东省中医药研究所和山东省寄生虫病防治研究所对协作提取的中草药黄花蒿有效部分"黄1号"进行了30例间日疟患者的初步临床试用观察。发现该提取物对间日疟原虫有较好的杀灭作用，但是复燃率较高。并初步得出了该药品属于速效药品，持效作用较短的结论。

三个研究单位用青蒿（黄花蒿）的提取结晶进行的首次临床试验结果

"1973年9月至10月，中医研究院中药研究所用提取出的青蒿素在海南昌江对外地人口间日疟及恶性疟共8例进行了临床观察，其中外来人口间日疟3例。胶囊总剂量3~3.5g，平均退热时间30小时，复查3周，2例治愈，1例有效（13天原虫再现）。外来人口恶性疟5例，1例有效（原虫7万以上/mm^3，片剂用药量4.5g，37小时退热，65小时原虫转阴，第6天后原虫再现）；2例因心脏出现期前收缩而停药（其中1例首次发病，原虫3万以上/mm^3，服药3g后32小时退热，停药1天后原虫再现，体温升高），2例无效"。

山东省黄花蒿研究协作组与1974年5月中上旬在山东巨野县城关东公社朱庄大队用黄花蒿素对10例间日疟患者进行临床观察，药物剂型为胶囊，每粒含结晶0.1g。分为两个组，一组5人，其中成人3例，10~12岁儿童2例，用量为：成人0.2g，儿童0.1g，每日一次，连服三日；另一组5人均为成人，用药剂量为0.4g，每日一次，连服三日。各治疗组控制症状及血内疟原虫消失情况如下表：

表2 1974年各治疗组控制症状及血内疟原虫小时情况

组别	药物使用情况	病例数	血内疟原虫消失平均时间（h）	症状复燃情况（天）			血内疟原虫再现例数		
				15	16~20	30~60	第15天	第30天	第60天
1	黄花蒿素 0.2g×3d	5	48.0	0	2	0	2	0	0
2	黄花蒿素 0.4g×3d	5	33.6	1	2	0	1	0	0
3	黄花蒿素0.4g 加防2两片顿服	9	50.7	0	1	1	0	0	2

山东省黄花蒿协作组首次对黄花蒿素治疗间日疟进行临床验证后，得出了相应的结论：黄花蒿素为较好的速效抗疟药物，似乎可以做急救药品，治疗过程中未见任何明显副作用，但是作用不够彻底，复燃率较高，为有效地控制复燃率似单独提高黄花蒿素用量不易达到，应考虑与其他抗疟药配伍。其结论与简易制剂的临床验证效果类似。

　　1974年9月7日，云南临床协作组的工作人员带着提取出来的黄蒿素到云县、茶坊一带进行临床效果观察，当时天气已经转凉，而且这两个地区疟疾已经不太多见，因此在此期间，他们只治疗了1例间日疟患者。10月6日中医研究院中药研究所的刘溥作为观察员加入该协作组。后与耿马县防疫站联系后得知当地有恶性疟患者，陆伟东、王学忠、刘溥三人组成一个组于10月13日到达耿马进行临床观察。此时碰到广东李国桥率一小组在耿马开展脑型疟的救治工作。由于云南临床协作组的技术力量薄弱，10月23日，广东小组派其中一名医生进行协作。云南小组的成员于11月6日返回单位，请示523办公室同意后，剩下的药物交由广东小组继续观察。根据资料显示当时北京中药所的刘溥同志直到12月3日回京，并于12月9日在所里详细而完整的汇报了云南及广东小组的临床病例用药等情况。

　　1974年9月至11月期间，云南验证了3例，其中恶性疟1例，间日疟2例；广东中医学院523小组共验证了18例，其中恶性疟14例（包括凶险型疟疾3例），间日疟4例。

　　云南临床协作组之前的3例用药剂量为第一日2.0g，分两次服，第二、第三日各1.4g，分两次服，总量4.8g（成人），其中1例恶性疟在服药3.2小时后体温恢复正常，原虫无性体31小时后转阴，但有性体只见数量减少，并未转阴。而2例间日疟退热平均时间为13小时，原虫转阴平均时间为32小时。

表3 广东中医学院18例临床验证

疗程	总剂量（g）	恶性疟病例数	间日疟病例数	原虫转阴平均时间（h）	原虫再现与症状复发情况
一天	0.2		1	间日疟43.5	对其中的7例恶性疟进行了短期复查，其中6例在服药后第8~24天内原虫再现和症状复发，1例第11天复查阴性，以后未再复查。
	0.3		1		
	0.6		2		
	1.0	1		恶性疟2例未观察至转阴，其余12例平均时间54h	
	1.5	1			
	2.0	1			
二天	0.9~1.2	3			
	1.5	4			
三天	1.5	1			
	2.0	2			
	4.8	1			

广东中医学院523小组经过临床验证后得出了黄蒿素是一种速效的抗疟药，首次剂量0.3~0.5g即能迅速控制原虫发育。原虫再现和症状复发较快的原因可能是该药排泄排泄快（或在体内很快转化为其他物质），血中有效浓度持续时间不长，未能彻底杀灭原虫。并且首次提出了黄蒿素具有高效、速效的特点，可用在抢救凶险型疟疾患者中。建议尽快将黄蒿素制成针剂。

三个单位用不同的方法从不同产地的药材中提取出来的抗疟有效结晶，在不同的时间和地点用不同剂量的药物经不同的医生使用，各自独立的完成了自己的临床验证，验证的结果也略有不同（见表4）：

表4 三个单位提取的抗疟有效单体进行的临床验证结果比较

单位		北京	山东	云南（包括云南和广东两个小组）
间日疟	病例数	3	19	6
	有效例数	3	19	6
恶性疟	病例数	5		15
	有效例数	1		13

　　虽然用药剂量不同，北京所使用的药物量总体上要大于山东和云南，但是北京、山东、云南都证明各自的提取物对间日疟有很好的治疗效果，原虫转阴率为100％，不过对恶性疟的效果却有所不同。山东黄花蒿协作组的临床验证过程中没有恶性疟病例；中医研究院中药研究所有5例恶性疟病例，由于种种原因只有1例患者有效；云南临床协作组与广东中医学院的15例恶性疟病例（其中广东中医学院验证14例，包含3例脑型疟）有13例有效，因此单从疗效而言，验证青蒿（黄花蒿）的提取物对恶性疟有效的是广东中医学院。

　　在青蒿素的结构、有效剂量以及疗效等方面都弄清楚之后，人们回顾性的看当时的临床验证结果时，由于中医研究院中药研究所的临床验证效果似乎并不够理想而且发现有心脏毒性，另外两家并没有出现类似的问题，因此有人质疑三家所提取的单体是否为一种物质提出质疑。对于临床效果和心脏毒性的疑问，笔者访谈了几位相关的人员。

　　黎润红（以下简称黎）：您能否讲述一下有关青蒿素的心脏毒性问题？
　　受访人一：当时我们这边一位姓景的教师提出来要做病理毒理，因为他说如果不做直接拿去给病人用是不合适的。当时做狗病理、毒理切片，当时中医学院有个协和过去的姓魏的老师看的说是发现肺组织有病变，他提出来有病变。所以我们那个景教授就坚持说这个有毒不能随便给病人使用。

黎：当时做狗的病理切片是说心脏的病变吗？

受访人一：是啊，心、肝、脾、肺、肾切片都做了啊，说是肺的病变还特别明显。当时就有两方面的意见，像屠呦呦他们就说如果病变这么厉害应该有症状的，比如说气喘啊什么的，所以就认为这是不太可靠的，另外一方就是景教授他们就认为有毒的。景大夫他是很谨慎的，他认为一定有毒的。

黎：那他们去海南之前在这边有人吃过药物做试验吗？

受访人一：后来的我就记得不太清楚了，有几个健康人试服了，发现没有什么问题就拿去上临床了。后来嘛就把狗的片子再请别人看看，后来就请了卫生部卫生研究所的一个姓高的留苏回来的，他一看啊就说这个狗是个老年狗是它本身的退行性病变并不是药物的作用。他这么说了以后就同意拿到临床去了。但是这个结晶拿到临床去了以后又说听到了期前收缩。所以这样呢所里面就又把我分到这个组来，负责说一定要把有没有毒性这个问题搞清楚。

当时提取的量少，要拿到药厂去打片子不太可能，后来就到协和医院药房打了片子，因为当时他们药房有小的机子。去做临床的时候，是由针灸所的李传杰大夫带着我们所里的刘菊福技术员等人过去做临床验证的，是刘菊福说听着了期前收缩，她说听着了后那李传杰就挺紧张的。李传杰因为他本身不是中药所的人，他又不是青蒿素组的，他只是临时被调去的，他也很谨慎小心的，就说那我们就停下来不能再做了当时做了5个人，消息就反馈回来，那时候我们所长就说他们都回来了那就不太好，这个工作也没有什么得到结果，说这样吧那就派章国镇（后来管业务的）去，就说派他去看看到底怎么回事，因为之前他们去的时候这边还在提取药物，所以章国镇他们去的时候就把还有的药物装成胶囊也带去，带去看看能不能再做。所以他去了以后再了解情况。那个情况就搞不清了，因为当时刘菊福听见了，可是李传杰没有听着，可是李传杰他说没有听着也不敢再做，要承担这个责任。所以后来带去的胶囊又做了3例。总共做了8例。

黎：那后来您做了这个药理有什么结果？

受访人一：没有心脏毒性。

屠呦呦认为当时疗效不够理想是因为最开始用的是青蒿素片剂，由于片剂的崩解度有问题，所以后来改用胶囊，胶囊治疗的3例患者，全部有效。

还有一位中医研究院中药研究所的研究人员认为因为当时提取出来的药物要立马上临床，提取的结晶纯度不够，也可能会引起这些问题。

而其他单位则有人认为：1973年临床所表现的和实验室表现是一致的都是心脏毒性问题，同时也印证出来效果不好，而且当时就算崩解度有问题，当时他们的用量那么大，如果是青蒿素也应该是有效果的。

其实针对三家提取的物质是否为同一物质，并非是最近这些年才有人质疑的，根据资料显示1974年2月28日至3月1日，正在进行青蒿抗疟研究的北京、山东、云南三地四家单位的科研人员与"523办公室"和中医研究院的有关领导齐聚一堂，在中医研究院召开了青蒿研究座谈会，参会人员主要有：张逵、章国镇、景厚德、屠呦呦、蒙光荣、"523办公室"施凛荣（236）、云南药物所523小组梁钜忠、山东两人（山东寄生虫防治所李桂萍、山东中医研究所魏振兴）。在会上，三个地区的研究人员各自汇报了青蒿（黄花蒿）研究进展，会上中医研究院的屠呦呦报告了之前的临床验证，提取过程中的一些问题，他们提取的抗疟有效成分的分子式为$C_{15}H_{22}O_5$，分子量为282，而且已经做了质谱、紫外、红外与核磁，确定其为倍半萜类化合物，酸解现内酯显色；云南的梁钜忠将从云南大头黄花蒿中提取到有效抗疟成分结晶Ⅲ的过程叙述过后，明确了植物分类，对化学提取物做了紫外、红外和元素分析并汇了实验结果，对提取物的物理性状分析，并对其药理、毒理试验结果给大家做了汇报，无明显的毒副作用；山东的魏振兴讲述了开始做青蒿研究的整个过程以及详细的提取流程，讲述已经做了的红外分析结果和元素分析。北京中药所的景厚德主要从药理、毒理方面做了相应的汇报。而且着重提出了心脏毒性问题，提出三家之间的不同之处：

①山东25mg/kg有效，北京100mg/kg有效；

②C=O基分化，山东、云南差80；

③熔点不同，山东：150~151℃，云南：149~150.5℃，北京155~156℃（屠呦呦报告的是156~157℃）是否做共熔试验；

④毒性：心脏200mg/kg，北京；灌胃，肠100 mg/kg，云南，腹脏给药，一般腹脏注射要比口服大5倍。

景厚德根据以上四点不一样提出三家提取到的结晶可能不用完全一样。从当时的会议发言可以看出，针对提出这样的疑问，各单位的人员都有回应，比如屠呦呦针对有效剂量提出北京50mg/kg转阴，随即云南则提出他们的有效剂量50mg/kg也不到。说明当时云南和山东的有效剂量都比北京的要低。而"523办公室"的施凛荣则提出：化学工作要在统一条件下做一下，不一致再做分析，进一步做后发现有差异的可以交流情况，不同可以各单位先做一下，与氯喹做一对照，抗疟药是否都有毒性。屠呦呦提出让山东也观察结晶对心脏的影响。

根据后来山东和云南的临床验证结果都未显示有明显的心脏毒性。针对景厚德提出的几个疑点，目前没有找到明确的记载显示当年有做过共熔试验，也没有明确的实验记录显示当时三家提取的晶体为同一物质。不过根据当年各单位先后提到的有效结晶，初步认为可能是同一物质。在1994年梁钜忠所写的一封信中说到：当时在会上三家都同时出示了自己带来的样品，经红外光谱鉴定，三个样品为同一化合物。根据现在药典上现在所采用的是青蒿素熔点为150~153℃。

在以上几家研究单位进行完临床验证后，从1975年开始，在全国和各地区"523办公室"的组织下，多系统、多单位、多专业的大协作在全国范围内开展起来，其中临床验证的工作也是大协作的重点之一。除了验证青蒿素口服制剂以外还进行了大量的简易制剂和其他剂型的临床观察。

青蒿素发现过程中的协作

一个药物从发现有效到后面的大量提取再到临床确定疗效等过程中需要不同科室、不同专业的团结协作才可以完成。由于资料有限，本节对整个具体的协作过程不做过细的描述，但是根据已有的资料可以对当时的协作加以说明。

单位内部

从发现青蒿粗提取物对鼠疟的有效率达100%到有效结晶的提取，这是一个小组协作的成果，由于当时的科研与现在很不一样，如今的研究可能是分工极其明确，具体到个人。但是当时并非如此，首先，在1973年中医研究院中药研究所从青蒿中性有效部分分离提纯出结晶的过程就是一个一边摸索一边试验的过程，当时对于药物的提取没有明确的规定用具体的某种物质来提取，参加研究小组的人员都可以进言献策，依据当时参与工作的科研人员之一回忆：

当时我们能买到的原材料有很多限制，有很多是没有的，而且那时候没全面恢复工作，买东西也很困难。有的时候自己去买东西。当时确实是摸着在走，因为以前没有，我们可以说化学室成立以后一直没有深入做过工作，都是一些比较浅的工作。我们在提取的时候般是要讨论一下的，虽然最后这个是从硅胶柱上拿到的这个结晶。但实际上我们用的柱子不只是硅胶做一个，分离的时候，用的很多，你做这个，我做那个，不可能一个人全部做起来的。所以从这个粗提物到这儿当然大大的提高，实际上从粗提取到最终的结晶要是一步一步详细看的话，都有提高的。那时候化学上没有明确的指标，只能根据药理，药理说这个效价高了，那我们就做这个了。

从实验室提取到少量的结晶之后为了上临床便开始放大试验，中药所大量的人员都参加了放大试验，当时参与提取的科研人员之二回忆：

后来参与的同志就比较多了，最多的时候七八个同事都上了。还临时调来一些人来帮助做一些工作。所以前后参加这些工作的人，确实很多很多。那时候正好他们干训班来了一批同学，那还没分配工作，也叫他们来参加一些粗的工作。包括到后来就到别的地方去提取，那就是其他的同志了，我们没去，因为我们还有很多工作要做。如果自己都去干那个，更深入的工作就做不了。

在其他单位内部也存在着从实验室过渡到药厂的提取过程，由于当时的社会环境导致很多的工作并没有完全开展，所以作为一个特殊的工作要开展必须有很多人员的协作配合。

单位与单位之间

首先，云南和山东有关单位对青蒿加以重视并提取出黄花蒿素（黄蒿素）结晶是在得知中医研究院中药研究所已经证实青蒿粗提取物有效的基础之上的，而且他们在不同的时间里得知青蒿的提取物抗疟有效后，虽然分别独自的进行各地的蒿属类植物的筛选，但也与中医研究院中药研究所有着很多的交流。在此过程中，523领导办公室起着十分重要的作用，在交通和通信条件远不如现在的情况下，正是由于他们有组织的进行了各种专业会议，才使得各种研究的最新进展得以为各研究单位所知从而加快了研究进展，不过这也为后来的分歧埋下了隐患。

　　1974年2月28日至3月1日，在全国疟疾的组织下，正在进行青蒿抗疟研究的北京、山东、云南三地四家单位的科研人员与523办公室和中医研究院的有关领导齐聚一堂，在中医研究院召开了青蒿研究座谈会，在会议上，各单位先后对青蒿抗疟研究的进展做了一定的总结与回顾，各自详细的介绍了本单位的研究过程从提取时间，药理、毒理实验结果，初步的临床验证过程以及已经做过的对提取物的结构的分析，有很多重复的也有不一样的。后来还提出了各自对今后工作的意见和建议，比如希望几个单位分工好，避免不必要的重复和人员浪费等。然后制订了1974年的详细的研究任务和分工如下图：

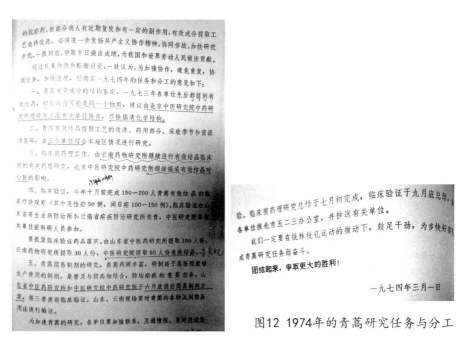

图12 1974年的青蒿研究任务与分工

1974年各单位的主要工作及相互人员之间的往来在前文有所涉及，在此就不再加以详述。到1975年进行全国大会战以后，参加青蒿研究的单位和人员则大量增加，截至1978年青蒿鉴定会时，参与青蒿研究和协作的单位有四15家之多。这些单位用青蒿制剂和青蒿素制剂共进行了6555例的临床验证，用青蒿素制剂治疗的有2099例，其中恶性疟588例，间日疟1511例，在恶性疟中用于救治脑型疟141例。

毛主席语录

路线是个纲，纲举目张。

中国医药学是一个伟大的宝库，应当努力发掘，加以提高。

〜〜〜〜〜〜〜〜〜〜〜〜〜〜〜

用毛泽东思想指导

发掘抗疟中草药工作

在（71）国发29号文件精神鼓舞下，在各级领导的正确领导下，我院疟疾防治科研小组半年来做了一些工作，但离党和人民对我们的要求还有很大的差距。现在简单小结作个汇报：

遵照伟大领袖毛主席关于"中国医药学是一个伟大的宝库，应当努力发掘，加以提高"的教导，决心从中草药里找出有效药物来，为防治疟疾任务作出贡献。

自１９７１年７月以来，我们筛选了中草药单、复方等一百多种，发现青蒿（黄花蒿 Artemisia annua L. 菊科植物。按中医认为此药主治骨蒸烦热。但在唐、宋、元、明医籍、本草及民间都曾提到有治疟作用的乙醚提取物对鼠疟模型有９５％～１００％的抑制效价。以后进一步提取，去除其中无效而毒性又比较集中的酸性部分，得到有效的中性部分。12月下旬，在鼠疟模型基础上，又用乙醚提取物与中性部分分别进行了猴疟实验，结果与鼠疟相同。

〜1〜

1972年3月8日屠呦呦在南京会议上的汇报

第三章

特殊历史时期大协作的科学研究

对我来讲，

我们到底把世界上一年几亿人发病却无药可治的疾病问题解决了，

我觉得这是最欣慰的事情。

现在国际上认可，我觉得也是为国争光。

——呦呦说

几次重要的会议

在政治挂帅的年代，政治深刻地影响着科研工作的开展。而"523任务"的开展与能够顺利完成则与某些政治因素有着密切的联系。根据目前掌握的资料，在整个"523任务"开展的过程中，前后举办过大大小小的会议有五六十次，通过这些会议不仅可勾勒出整个"523任务"的概况，而且也可以从一个侧面展示出文革期间政治与科学的互动关系。本章主要列举几次比较重要而特殊的会议。

任务开始时的统筹会

1967年正值"文化大革命"的高潮，虽然大多科研工作都处于停顿状态，但由于"523任务"来自最高领导，所以尚能继续进行。1967年5月为了开展全国疟疾防治研究大协作而举办的首次会议在前面章节已经做了详细的介绍，其重要性不言而喻。

任务强化会

1968年2月21日至2月29日，由国家科委和总后勤部联合，在杭州屏峰山工人疗养院召开全国第二次协作会议，进一步落实1967年5月23日北京第一次全国协作会议的任务，会议总结了自1967年5月第一次协作会议以来抗疟研究工作所取得的各项成绩，具体安排了当年的各项任务，会议发了纪要，上报了中央。"523任务"的各项研究计划和组织管理机构从此步入正常的轨道。会后除了发放会议纪要以外，还下发有关会上讨论后的一些规定。为了加强领导，分工协作，明确任务，明确职责，对各部门、地区、单位和专业的职责进行了相应的分工。

1969年1月15日，各省、市、区相继成立了革委会，为了使各级革委会加强对疟疾防治研究工作的领导，国家科委军管会和总后勤部向总理及中央军委写了《关于疟疾防治研究工作的情况报告和请示》。报告中建议在北京或广州召开有关省、市、区革委会、军区后勤部分管这项工作的负责同志及有关单位负责同志的座谈会。

周总理对开会地址做了具体的指示："拟同意，以在广州开此座谈会为好。"1月24日，毛主席圈阅了这一请示报告。

1969年2月8日，经周总理签发特级电报，电文内容：

关于召开疟疾防治研究座谈会的通知：

经伟大领袖毛主席批准，同意在广州召开疟疾防治研究工作座谈会。参加会议的人员和有关问题，由国家科委、卫生部军管会商总后勤部办理。具体开会时间与地点另行通知。

根据当时"523办公室"工作人员施凛荣回忆：

当时文件是由总后司令部当时的一个参谋，后来的一个处长拿到文件，打了电话把张剑方部长等人叫去在一个地方（我院南门）展示一下。

据张剑方主任回忆：

当时毛主席圈阅的这份文件由总后拿到军事医学科学院，然后把大家都召集到院门口去迎接，大家以为毛主席给院里下了指示，结果其实大家什么也没看到，我就看到上面用红色、蓝色的笔画了个圈圈。

1971年广州会议——进一步加强了"523任务"

随着"文化大革命"的深入，国家部委到地方行政机关和科研单位的运行，因运动而多次波动，整个领导、组织系统也发生了很大的变化，新上任者不一定知道这项任务的重要性，"523任务"的执行也出现了困难。1967年制订的三年疟疾防治研究规划也已到期。因此，卫生部军管会、燃料化学工业部（后简称化工部）、中国科学院、总后勤部于1971年3月16日向国务院、中央军委上报了《关于疟疾防治研究工作情况的请示报告》。报告建议调整领导小组，由卫生部任组长，总后勤部任副组长，办公室仍设在军事医学科学院。1971年4月15日，国务院和中央军委下发了（71）国发文29号文件，对"请示报告"做了批示。同年5月22日，全国疟疾防治研究工作座谈会在广州召开，会上"523领导小组"由原来的国家科委（正组长）、中国人民解放军总后勤部（副组长）、国防科工委、卫生部、化工部、中国科学院6个部门改为由卫生部（正组长）、总后卫生部（副组长）、化工部和中国科学院三部一院领导，此外会议还制订了1971年至1975年的全国疟疾防治研究五年规划等。据有关人员回忆，当时在会上有人就抱怨"523"都快变成"无而散"了，希望中央支持继续开展工作，加强研究。5月28日，会议传达了周总理给时任上海市革委会副主任徐景贤来信所作的批示。信中报告了西哈努克的私人医生阿里什献给中国一个治疟方。周总理批示的内容为：

谢华、吴阶平同志请将此信件阅后，交医学科学研究院和军事医学科学院有关单位，进行进一步研究，看可否拿此处方派一、二小组到海南岛和云南西双版纳有恶性疟疾地区进行实地试用，如有效，我们可大量供应印度支那战场，因为他们正为此所苦。

5月29日，卫生部召集总后卫生部、卫生部、中国医学科学院、军事医学科学院的负责同志进行研究，拟定了试验方案，报告了总理。总理指示：原则同意这样做。

周总理的批示对研究人员来说是一个喜讯，对加强"523任务"的领导和任务落实执行起到了重要的推动作用。此次会议前，中医研究院中药研究所曾打算下马，但未获得卫生部的批准。会议之后，中医研究院革委会和军管会，根据上级的要求，加强了领导，进一步抽调和配备了科研骨干力量，组成了研究小组，保证了工作的进行。屠呦呦提到过这次会议的重要性，会后中药所重新落实组建抗疟科研组，开展抗疟药效筛选研究，通过对200多种中药380多个提取样品的药效筛选，最后集重点于青蒿上。所以可以说1971年的这次会议，对后来整个"523任务"的继续进行，对青蒿抗疟作用的再发现起到十分重要的作用。

在此次会议上，拟定了今后五年的研究规划。此次会议上提到了西哈努克私人医生所献的疟疾方，其实与解放军后字236部队之前所研究的"防2"极其相似，只是在剂量上稍有修改。

1973年上海会议——任务的巩固与深入

一方面，越南停战协议的签订，人们对战备任务在思想上可能有所松懈；另一方面，随着科学研究工作本身的难题使得一些科研人员的信心不足。为了检查疟疾防治研究五年规划执行情况，总结交流经验、协调任务和更进一步推动抗疟研究工作的开展，1973年2月15日，卫生部、燃化部、中国科学院、总后勤部向总理写了《关于疟疾防治研究工作情况的报告》，报告了贯彻国务院、中央军委《71》国发29号文件及5年规划的执行情况，报告了遵照总理指示试验法国医生阿里什处方的情况，提出为适应国内防治疟疾的需要，把三种防疟片等防治药物，除保证援越外，在国内一些重点疫区推广使用；把疟疾防治研究工作列入国家重点研究计划；请示召开疟疾防治研究工作座谈会，调整落实五年研究规划后三年的任务。

在国务院批示后于当年5月28日至6月7日在上海召开了疟疾防治研究工作座谈会，此次会议有卫生部、国务院科教组、燃化部、中国科学院、总后勤部有关负责同志，各有关省、市、自治区、军区以及有关部门、单位负责领导这项工作的同志和专业组代表，中共中央南方13省、市、自治区血防领导小组办公室和商业部的代表共86人出席了会议。

这次会议的重点是：

（1）强化任务的重要性，虽然越南停战协议已经签订，但是强调大家的思想不能放松，疟疾防治依旧是部队卫生保障的一项主要任务，另一方面，国内近些年的疟疾有所回升，严重影响人民健康、工农业生产和战备，因此，防治研究任务依旧十分艰巨。会议上还提出："当前的问题不是下马，而是要快马加鞭；不能削弱，只能加强，要尽快做出成绩，这是党和人民交给我们的光荣任务。"由此可以推测出当时确实是有单位在思想上有松懈，这也更能体现出本次会议的重要性。

（2）调整落实五年规划后三年的任务，在原来的规划之上进一步对十个研究专题提出了相应的任务和要求。

（3）根据《国务院各有关部委1973年科学技术发展计划》第321项任务，疟疾防治研究工作已经被列入各有关省、市、自治区，各部门、单位的科研计划，提出要定期检查，要求参加这项任务的专业技术人员要保持相对稳定。强调各级办公室要做好组织协作和任务协调工作。

1975年4月成都会议——青蒿素研究工作的全面部署

1974年2月28日~3月1日北京、山东、云南研究青蒿（黄花蒿）的部分人员和"523办公室"领导在中医研究院召开了青蒿专题研究座谈会。

1975年4月14日至4月24日，在成都召开了"523"中医中药专业座谈会。参会的有北京、上海、江苏、广东、广西、四川、云南、山东等地参加五二三中医中药研究专业代表，河南、湖南、湖北有关单位的代表和老中医、赤脚医生共62人。会上各研究单位汇报交流了各项研究工作的进展情况，会上特别提到广东中医学院中医中药研究组八年如一日，坚持深入疟区农村，积累了的救治脑型疟疾的经验，取得了较好的成绩，与此同时也提到有些单位偏重于实验室研究，关起门来搞提高的倾向也时有表现。

此次会议以青蒿研究为重点，特别是广东中医学院李国桥小组在会上汇报了用云南药物所提供的黄蒿素治疗了18例疟疾的疗效尤其是其中的恶性疟和脑型疟效果十分明显，这给与会人员尤其是中草药小组的成员以很大的鼓舞。同时在会上还有其他中草药的一些汇报，比如鹰爪甲素、仙鹤草抗疟作用的报告等。正如《迟到的报告》中所说这次会议是青蒿（黄花蒿）研究首次大会战重要部署的开始。这次会议之后，在原来研究的基础上，各单位纷纷组织协作进行青蒿简易制剂的研究，改进生产工艺，资源调查研究以及到后来的化学结构改造等做了一定的铺垫。这次会议还部署了青蒿素衍生物的研究。

南宁会议——青蒿素鉴定前的准备会议。

1977年5月，全国"523办公室"在广西南宁召开了"中西医结合防治疟疾药物研究专业会议"，这次会议总结评价了成都会议两年来青蒿素的研究进展，提出了成果鉴定前必须继续完成的任务要求，作了具体的部署和安排，是鉴定前的一次预备会。

1978年扬州——青蒿素鉴定会

这次会议算是对青蒿素研究的一个总结，但这仅仅是一个阶段研究的总结，这是首次对外宣告了中国抗疟新药的诞生，也是自任务开展以来首次有媒体参与的会议。

1981年北京——各地区疟疾防治研究领导小组、办公室负责同志座谈会

1981年3月3日至6日，在北京举行了"各地区疟疾防治研究领导小组、办公室负责同志座谈会"。1980年就已经举办了相应的筹备会议以及做了大量的准备工作。比如：1980年6月13日，在北京召开了全国"523"领导小组会议。国家科委、国家医药管理总局、总后勤部、卫生部以及军事医学科学院等部门有关负责同志出席了会议。会议由卫生部黄树则副部长主持，会上对过去13年来"523"工作方式及其成果加以了肯定，也为后面的工作方式的调整做了相应的规定，为后面撤销全国和地区疟疾防治研究领导小组和

办事机构做好相应的准备工作；同年8月，卫生部、国家科委、国家医药管理总局、总后勤部四个领导部门联合向国务院和中央军委请示——将防治疟疾科研项目纳入有关部委省市计划，撤销全国协作组织机构。1981年会上主要对五二三协作组织进行了调整，虽然五二三的组织形式发生了变化，但是疟疾防治研究任务作为医药卫生科研重点项目，纳入有关部、委、省、市、自治区和军队的经常性科研计划内。而且，鉴于五二三协作组织的调整，国家卫生部在医学科学委员会下成立了疟疾专题委员会，军队也决定由总后卫生部组织，拟定于同年5月在流行病专业组内成立疟疾防治专题组。在同年5月11日，四个领导部门作为全国疟疾防治研究领导小组联合颁发了的最后一个文件——转发《疟疾防治研究领导小组、办公室负责同志座谈会纪要》的通知。该通知除了转发疟疾防治研究领导小组、办公室负责同志座谈会纪要以外，还对整个五二三的善后工作做了总体的规划——五二三办公室的文件、技术档案、经费、物资等如何移交由地区领导小组主管部门确定；有关主管部门和原单位对长期脱离原单位专职担任五二三科研组织管理工作的工作人员要做出妥善安排。

在1967年和1968年会议中，对该任务的保密性都有明确规定，尤其是在1968年会议之后要求确定临床使用以及定型生产的药物一律使用代号。1972年为了更广泛的介绍和交流科研实践经验和成绩，要求对过去几年开展的疟疾研究工作经验和资料进行整理总结和汇编时，提出：在编写时不应受保密的限制而影响到总结内容，各种药物一律不写代号，若为书写方便，在第一次用代号时，则注明药物的名称。在同年11月的疟疾防治研究工作简报中则提出：有关疟疾防治研究的技术资料的交流，凡不涉及国家、战备机密（如疟疾发病率、该任务的军事用途等）由承担任务单位审查批准，可用单位或个人名义在国内各种内部刊物上发表。从1973年上海召开的会议可以看出"523任务"已经开始慢慢的从战备任务向常规任务过渡。到后来，保密性则更不如以前，很多原先不承担"523任务"的单位在一些单位寻求协作单位时也加入进来，在论文发表方面也没有强制要求不许发表。尤其是在1977年以青蒿素协作组的名义发表第一篇论文以后，多篇结构测定相关的文章便陆续发表。而明确将"523任务"纳入常规性科研计划是在1980年全国523领导小组会议上提出的，然后上报给国务院和中央军委。是在1981年会议之后正式将"523任务"纳入有关部委、省、市、自治区和军队的经常性科研计划之内的。

组织人员与相互协作

从1967年开始组织大量的单位和人员来进行抗疟药物防治的研究到每个小组、每一个药物的研究都是一个集体在共同承担。由于篇幅所限，各单位与人员之间的协作方式本节分两个方式简单说明，对于当时的工作模式本节也将加以介绍。

各专业组之间的协作

虽然在最早的规划中，各专业组似乎是相互独立的，但在任务的具体实施时，专业组的分工有时候会有所模糊，各专业组会有所交叉，而且随着不同研究小组的增加以及各种研究的不断深入，专业组的分界线在一些单位已经完全模糊甚至融合在一起。比如在规划之初就有规定：每一种新药经协作组（合成、药理、临床）鉴定讨论后，确认安全、速效、长效者应向领导组提出报告，经批准后才能过渡到临床及现场扩大试用。在很多承担了多项研究的单位，比如上海医药工业研究院、上海药物所、后字236部队等单位同时承担化学合成与筛选、驱避剂的研究等多个任务。中草药组与驱避剂的筛选组的很多药都是从植物中筛选出来的，所以在筛选时存在着相似性，比如大桉叶、青蒿等既包含在需重点筛选的中草药中又在重点筛选的植物驱避剂中。比如广东省中医研究院最早属于中医中药、针灸防治疟疾小组，后来过渡到脑型疟临床救治小组，随着他们部分研究人员用黄蒿素治疗脑型疟并确定了其疗效后，又可以将其合并入中医中药组，而后来开展不同剂型的临床试治过程也可以算做现场效果观察组。

同一专业组不同单位或同一单位不同专业人员之间
（以青蒿素研究中的部分工作为例）

青蒿素及其他药物的提取，都集中了许多力量，这个科研任务并不像目前实验室的任务，比如说要做某一项研究，分工明确到个人。在当时很多单位并没有完全展开任务，在那个年代里，一项工作只要叫了谁，谁就参与，比如在中医研究院中药研究所进行青蒿素的提取过程中，从粗提物的提取到结晶的提取，有不同的人想了不同的办法，最终选择硅胶柱也是在试用了多种方法之后选择出来的。中医研究院中药研究所在从实验室过渡到药厂提取的过程当中，更是集中了很多的人员，据当时的科研人员回忆，当时有很多就是刚刚从干训班毕业的学生直接被拉来做提取工作。而在云南药物所在从实验室到药厂提取过程中也是集合了不同的人员，当时并没有十分明确的任务和人员、专业之分。进行青蒿素临床验证的时候，有的单位是本单位的人员，但是需要有临床的医生，所以就指派了相应的医生或经过短暂培训和学习的技术员，有的在组织各省市进行临床验证的时候更是如此，不论是从单位的数量还是人员的数量都是极其之多。

总结整个"523任务"开展期间各单位之间的交流与学习，笔者认为用两个简图可以将当时的情况简单的描述出来。

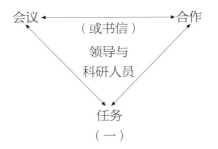

一代表的是当时的组织形式，主要是通过领导办公室举办会议，制订好了相应的规划在会上或者会后布置任务，然后下达到各地区"523办公室"或研究单位，有的在规划中有明确规定的相互之间进行协作的单位，有的则要各研究单位自己去寻找合作单位，在工作一段时间之后不论工作是否有进展，或者在任务的开展过程中有需要强调的情况都会举行一些相应的会议。会议的规模大小不一，大的有全国性的疟疾防治研究工作会议，"全国523办公室"及"地

区523办公室"领导人会议和各种专业组会议，小的有特殊的专业组会议，比如青蒿研究座谈会等。根据目前掌握的材料，可以了解到在1967年至1981年期间这种大大小小的会议大概有五六十次。

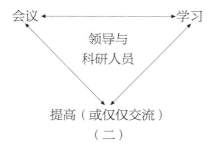

（二）

二代表当时的组织形式所产生的效果，一般在会议交流过程中，不论是参与的领导还是各单位的科研人员，在会上各参会人员都会毫无保留的把最新的工作进展、经验，主要成绩、以及工作中存在的不足等按照规定汇报，会上会对过去的工作进行总结，对今后的工作加以计划；会后，会议的组织者都会把会议的主要内容、精神以及新的研究计划、规定或者对工作提出意见和建议等以"简报"或"情况交流"的形式传达给各参会单位；有些参会人员会将会议上其他单位的最新研究进展、好的经验等带回本单位加以学习，别人的失败经历、遇到的问题带回去后加以避免等。因此在整个任务开展过程中有的小组的研究在交流中不断的深入，有的小组在交流中慢慢的转向。比如中草药专业组各单位在筛选了众多中草药之后，摒弃了许多无抗疟作用的中草药，最终从中药青蒿中提取出了有高效抗疟活性的青蒿素；针灸小组在经过几年的研究与交流之后发现针灸并不适用于治疗疟疾。有些新的研究专题则是在523任务开展过程中为了需要而添加进来的，比如疟疾免疫的研究则是在1969年"广州523会议"中提出的，经过十年左右的研究，有些项目已达到和接近国际先进水平。

笔者访谈的大部分人都谈到在当时那样的环境之下能够参加这项任务就觉得十分光荣，而且都尽心尽力的将这件事做好。无论在什么情况之下，只要领导让干什么就干什么，当有些科研人员自己不能去开会作报告时，就将所有的资料整理准备好让领导带去与会交流。

正在进行试验的屠呦呦

云南药物所发明证书

屠呦呦在做学术报告

国家科学技术委员会

（96）国科成管 便字第 014 号

证　明

1992 年，国家科委会同《人民日报》等五家新闻机构组织'92 全国十大科技成就评选活动．国家中医药局推荐参加评选的项目为："抗疟新药－双氢青蒿素及双氢青蒿素片剂的研究"其主要完成单位及主要代表人是：中国中医研究院中药研究所、屠呦呦(详见附件)。

在 1995 年 5 月 30 日全国科技大会闭幕式上，国务委员兼国家科委主任宋健同志在讲话中曾提及我国几位有突出贡献的科技发明家，如王选、王涛等，同时提到青蒿素的发明人屠呦呦同志，对他们的成就给予了肯定。

附 件：

一、《九二全国十大科技成就推荐表》

二、国家中医药管理局科技司修改项目名称便函

国家科委成果［印］

一九九六年五月三十日

1995年全国科技大会上，

时任国务委员兼国家科委主任宋健肯定了屠呦呦的成绩

第四章

青蒿素的过去与未来

我在北京大学的学历是国家培养的，
后来进修也是国家培养的，我的中西医知识都是国家培养的。
国家需要我做什么，我就应该努力去做好。

——呦呦说

青蒿素的前世今生

曾庆平

青蒿素堪称"中国神药"！之所以把青蒿素称作神药，是因为它能让凶险且致命的脑型疟患者起死回生，而且还能治愈无药可救而濒临死亡的氯喹耐药性疟疾感染者！非洲、南美洲及东南亚国家饱受疟疾之苦，其死亡率不亚于艾滋病，因而青蒿素被视为疟疾流行区的"救命药"。虽然疟疾仅在我国西南边境地区局部流行，但随着气候变暖导致的蚊媒肆虐，疟疾在中国死灰复燃绝非天方夜谭，而中国人口众多，传染压力大，青蒿素仍担负着拯救未来疟疾病人性命的神圣使命！

青蒿素究竟是一种什么样的物质？青蒿素是从哪里来的？青蒿素是中国独有的吗？青蒿素未来的命运会如何？青蒿素研发历史上发生过哪些轶事？下面就先简单介绍一下青蒿素为人所知的一面及不为人所知的另一面，然后再详细谈谈青蒿素发现所涉及的那些人和事。

青蒿素的农业及工业来源

（1）青蒿素仅在药用植物青蒿中合成

在化学分类学上，青蒿素属于倍半萜内酯化合物，其独特之处是分子中有一个过氧桥结构，它正是发挥抗疟性及其他多种功能的关键基团。青蒿素仅仅在药用植物青蒿（也称黄花蒿）植株中发现，它主要储存在青蒿叶片上那细绒绒的充满芳香油的腺毛中。青蒿素对青蒿本身而言也是有毒性的，这也许就是为什么青蒿素被隔离在油性腺毛中的缘故。

青蒿为什么要合成青蒿素？为什么只有青蒿才产生青蒿素呢？对此现在还没有明确答案，但有证据表明青蒿素可能在抗病、抗虫和抗逆中起作用，因为病、虫、暑、寒、旱、涝等自然灾害都能诱发青蒿细胞产生大量有害的活性氧自由基，而双氢青蒿酸可以结合活性氧自由基而转变成青蒿素，导致青蒿素分子形成过氧桥结构。换言之，青蒿素是活性氧自由基的"陷阱"化合物。

野生青蒿在全球各地都有分布，但它们的青蒿素含量都很低，只有我国云贵川地区的青蒿含有较高的青蒿素。因此，青蒿可以说是世界性植物，但青蒿素绝对是中国的特产。据湖南长沙马王堆汉墓出土文物考证，我国古代早就有用青蒿治病的记载，后来专门用青蒿治疗"打摆子"，也就是疟原虫感染引起的发烧、畏寒和颤栗。据东晋葛洪《肘后备急方》描述，将野外采集的青蒿全草先用水浸渍，然后绞碎成汁并服下，能让病人退烧。

青蒿素是脂溶性物质，不溶于水，在血中的溶解度很低，这会大大降低青蒿素的血药浓度，削弱青蒿素的利用价值。为了增大青蒿素的水溶性，采用人工修饰的方法，在青蒿素分子上添加各种亲水性基团，已获得一系列生物利用度高的青蒿素半合成衍生物，如青蒿琥酯、双氢青蒿素、蒿甲醚、蒿乙醚等。

（2）青蒿素已经实现工业化生产

早在2003年，美国伯克利加州大学的研究人员就在基因工程大肠杆菌中首次合成了青蒿素的第一个前体青蒿酸。2006年，他们又在基因工程酵母中合成了更多的青蒿素前体，包括青蒿酸和双氢青蒿酸，但一直未能实现青蒿素的全合成。那是因为微生物体内缺乏活性氧自由基的来源，也不具备青蒿素前体转化的油性环境。

不过，美国科学家另辟蹊径，将酵母合成的双氢青蒿酸通过体外化学催化转变成为青蒿素。从经济角度来看，酵母来源的青蒿素价格每千克为350~400美元，而青蒿来源的青蒿素价格最低为每千克120美元，最高可达每千克1200美元。利用工程微生物工业化生产青蒿素完全可以达到高效、经济、实用的程度。

酵母青蒿素目前已由赛诺菲公司在意大利投资设厂进行商业化生产。2013年的青蒿素产量已达25吨，2014年则生产出55~60吨青蒿素。2014年8月，第一批总共1700万份青蒿素已运往大约半数非洲国家，用于救治广大疟疾患者。由此看来，工业化制造的青蒿素向农业化生产的青蒿素发起了第一轮挑战，未来很可能让中国生产的青蒿素变得多余！

青蒿素发现背后的故事

（1）中医验方和古代典籍催生青蒿素

我国南方自古就有恶性疟疾发生，它在古籍中被称为"瘴气"。在我国民间，用青蒿水浸液治疗"打摆子"的验方广为流传，但它并不为科学界所知，更不会被国外科学家所了解。另一方面，青蒿从古到今都被当做一味中药在使用，学西医的人没有机会认识青蒿，也就很难把青蒿与抗疟药联系起来。

屠呦呦学的就是西医，但她曾短期进修过中医，对中医治病并不排斥，加之"文革"期间我国缺医少药，从中草药中寻找药物资源便成为药物研发的唯一选择。在下乡调研中，当屠呦呦得知医治"打摆子"的验方就是青蒿时，以她作为药学家的敏锐与从事药化工作的经验，立即意识到青蒿中必定含有某种抗疟成分，并打算全力以赴把它分离出来。

可是，当屠呦呦用乙醇加热提取青蒿抗疟成分时，她发现提取物在动物评价中疗效不理想。于是，她一边改进实验条件，一边从古代中医典籍中寻找答案。果然"功夫不负有心人"，屠呦呦很幸运，她在东晋葛洪所著《肘后备急方》中找到了灵感。根据书中所述"水渍"和"绞汁"的秘诀，屠呦呦悟出抗疟成分可能不耐热的想法，并推断以往上百次用高沸点乙醇提取可能是失败的主因，而若尝试用低沸点乙醚提取也许能够获得成功，于是果断地将乙醇高温提取改为乙醚低温提取，从而一举分离出抗疟效果极佳的青蒿提取物，并成功地进行了分子结构鉴定，遂将其命名为青蒿素。

（2）抗美援越是青蒿素的"催化剂"

在30多年前医疗技术条件落后的中国，为何能发明出全球领先的抗疟药？20世纪60~70年代，正是中国"文革"高潮时期，学校停课，工厂停产，社会生活都受到影响，科研机构的正常工作也受到严重干扰。在这个特殊的历史时期，为什么竟然产生青蒿素这个对人类社会意义重大的科学成果呢？

原来中国大张旗鼓地开展抗疟疾研究，源于一场秘密的抗美援越任务。1964年，美国出兵入侵越南，挑起越南战争，但美军在越南战场久攻不下，从此陷入残酷战争的泥沼，越南军民也为此开展了艰苦卓绝的抗美救国战争。由于越南地处热带气候的印度支那半岛，那里气候炎热潮湿，蚊虫四季滋生，野栖媒介复杂，恶性疟疾终年流行，美越双方都因疟疾的高发而大幅减员。

据有关资料记载，1965年驻越美军的疟疾年发病率高达50%。在越南波来古到柬埔寨边境地区的一次作战行动中，美军的疟疾发病率达到20%。更有甚者，在不到两个月的时间里，有些作战部队的疟疾感染率几乎达到100%。据不完全统计，美军因疟疾造成的非战斗减员比战伤减员高出四五倍。1967年至1970年的4年间，美军因疟疾减员80万人，但实际减员大大超出这个数字。

同样，从越南北方进入南方的越军部队，也受到疟疾流行的严重影响。在美军的不间断轰炸与严密封锁下，北方部队进入南方战场需要经过一个多月的长途行军，一个团的兵力最后能投入战斗的只有两个连的兵力，其余的指战员都因感染疟疾被迫送往后方治疗。

当年使用的一些抗疟药，如氯喹、乙胺嘧啶、氯胍、阿的平等，由于耐药性严重，防治效果很差。以脑型疟疾为主的凶险型疟疾死亡率很高，加重了疟疾的防治难度。此时，是否拥有高效、速效、无抗药性的疟疾防治药物，就成为决定谁胜谁负的重要砝码。

为了解决这个难题，美军成立了专门的疟疾委员会，大幅增拨了疟疾研究经费，组织几十个单位参加了抗疟药研究攻关，派华尔特里德研究院、海军预防医学研究院等单位及军内外有关专家，到越南战场实地进行医学及流行病学调查，开展疟疾防治药物试验。同时，美国还联合英、法、澳大利亚等国研究机构及欧洲的大药厂，开展了抗疟新化学药的研究，并广泛寻找抗疟前药，要求每年提供30种前药进行临床试验。

截至1972年，华尔特里德研究院已初筛出21.4万种化合物。从如此巨大的候选药物分子库里，他们也未能找到理想的抗疟药。据后来的资料显示，他们从中筛选出来的唯一有效的抗疟单体是甲氟喹，但它的副作用大，而且像氯喹一样容易诱导耐药性，其疗效远不及我国同期研制的其他抗疟新药，更无法与我国发明的青蒿素相比。

在越南方面，为了抗击美国的侵略，解决军队受疟疾困扰的问题，迫切希望中国能提供帮助，让他们能尽快解决这一难题。我国领导人答应了这一请求，同意为越南寻找特效抗疟药。于是，一项抗美援越史上集中研制抗疟药的紧急任务悄然下达，全国性的医药科技力量均被组织起来开展科研大协作，在另一条战线上协助越军展开与美军的较量。

（3）全国总动员成为发现青蒿素的契机

1967年，国家正处在"文革"动乱中，各项工作基本上处于停顿状态。鉴于提供防治抗药性恶性疟疾药物的紧迫性和艰巨性，只依靠部队的科研力量，在短期内无法完成这项艰巨的科研任务。只有动员国内更多的科研力量开展军民大协作，才可能确保这一紧急援外战备任务按时完成。由解放军总后勤部商请国家科委，会同国家卫生部、化工部、国防科委和中国科学院、医药工业总公司，组织所属的科研、医疗、教学、制药等单位，在统一计划下分工合作，共同承担了此项当年最光荣的革命任务。

针对热区抗药性恶性疟疾防治要求，解放军军事医学科学院起草了3年研究规划草案，经过酝酿讨论和领导部门审定，国家科委和解放军总后勤部于1967年5月23日在北京召开了有关部委、军队总部直属和有关省、市、区、军区领导及所属单位参加的全国协作会议，讨论制订了3年抗疟药研究开发规划。这就是著名的"523会议"和"523项目"名称的由来。

523项目持续了13年，聚集了全国60多个科研单位，参加项目的常规工作人员有五六百人，加上中途轮换的，参与者总计有两三千人之多。经过两年3次大会战，广东、江苏、四川等地用青蒿素和青蒿简易制剂临床治疗疟疾2000例，其中青蒿素治疗800例，有效率100%；青蒿素简易制剂治疗1200例，有效率在90%以上。青蒿素新药于1975年研制成功，并于1979年通过了全国鉴定。

青蒿素对人类健康的贡献及青蒿素研究的未来

曾庆平

青蒿素作为药物对人类健康的贡献是在氯喹几近失效后抗击氯喹耐药性疟疾，而作为具有过氧桥结构的独特分子对人类健康的贡献是未来可能用作抗肥胖、抗衰老、抗炎、抗癌和抗菌的潜在或辅助药物。如果说青蒿素抗疟研究是以往屠呦呦等前辈涉猎的先驱领域，那么青蒿素拓展应用研究将具有承先启后的指标性意义。

青蒿素的这个过氧桥结构赋予它能在众多疾病的防治上发挥"一因多效"作用。青蒿素在体内形成碳中心自由基后，可以迅速结合含血红素辅基的蛋白质或酶，并通过阻止高铁离子与亚铁离子的互变抑制蛋白质或酶的活性，从而诱导相关基因的表达，并发挥相应的治疗作用。

细胞中最重要的血红素酶类就是一氧化氮合酶，高等动物及人类含有3种不同的一氧化氮合酶，一种是维持血管正常功能的内皮细胞一氧化氮合酶（eNOS），一种是维持神经正常功能的神经元一氧化氮合酶（nNOS），还有一种是杀伤入侵病原体的炎症诱导一氧化氮合酶（iNOS）。

由eNOS与nNOS合成的一氧化氮浓度较低，而由iNOS合成的一氧化氮浓度较高。低浓度一氧化氮用来维持正常生理功能，称为"生理水平"的一氧化氮；高浓度一氧化氮可能造成组织病理损伤，称为"病理水平"的一氧化氮。生理性一氧化氮可以减肥和延寿，病理性一氧化氮则能诱发类风湿性关节炎。

无论哪种一氧化氮的合成，都会随年龄增长而逐渐减弱，它好的方面是老年人的类风湿性关节炎病情往往呈现平稳趋势，不好的方面是导致内脏肥胖加剧，衰老进程加快，老年性疾病频发。因此，谁能灵活调控eNOS、nNOS、iNOS水平，谁就掌握了打开人类健康之门的"金钥匙"。

青蒿素作为抗疟疾的"特效药"和"救命药"，理应得到最高级别的保护。有人可能认为，除非疟疾以外的疾病无其他药物可以代替，否则决不能轻易把青蒿素挪作他用或一药多用，防止疟原虫对青蒿素的敏感性降低乃至丧失，以免未来在对付多药耐药性疟疾时无计可施。

青蒿素作为抗疟药已经使用了30余年，至今也没有发现它能诱导疟原虫产生耐药性基因突变的明确证据，这可能与青蒿素发挥抗疟作用时具有多靶点、高效率、低毒性等特征有关。在明确的分子药理学机制指导下，适度地将青蒿素的药用范围拓展到抗疟以外，就不必过分担心让青蒿素会有药效下降甚至失效的危险。

不过，青蒿素在使用时应该奉行"单次剂量"和"联合用药"两个原则，因为一次或几次剂量的青蒿素给药不会给抗氧酶诱导留下可乘之机，而联合用药能避免青蒿素短效、易复燃的弊病，并发挥其他抗疟药长效、难复燃的优势，不致因青蒿素的反复给药诱发耐药性。

青蒿素截疟

疟疾是通过蚊媒传播的人畜寄生虫病，其中由恶性疟原虫感染引起的人脑型疟最凶险，致死率也最高。疟疾通常在热带及亚热带地区广泛发生，包括非洲撒哈拉次大陆、东南亚和拉丁美洲等地，其中以非洲的疟疾病情最为严重。据世界卫生组织统计，2013年全球共发生疟疾1.98亿例，已造成58万至85万人死亡，其中90%以上的疟疾病例都出现在非洲。

（1）氯喹抗疟应用迅速滋生耐药性

在青蒿素被发现以前，疟疾主要靠氯喹进行治疗。氯喹由奎宁半合成而来，而奎宁是从金鸡纳树皮中分离出来的，属于4-喹咯啉化合物。1934年德国拜耳公司就已生产出氯喹，但它被认为毒性太大，不适合在人体上应用，故多年后一直被束之高阁。直到第二次世界大战爆发，才由美国政府组织实施了氯喹抗疟临床试验，并于1947年正式批准将氯喹用作疟疾预防用药。

可是，氯喹应用之后还不到几年时间，疟原虫便很快滋生了耐药性。1950年后首先在东南亚和南美地区出现氯喹抗性疟原虫，1980年后则在全球所有地区均发现氯喹抗性疟原虫。

（2）青蒿素挽救氯喹耐药性疟疾患者生命

正当人类面临疟疾带来的灭顶之灾时，以独特抗疟机理著称的"中国神药"——青蒿素问世了。在青蒿素的强力抗疟作用被发现后，中国政府把它无私地推介到世界各地的疟疾流行区，尤其是疟疾肆掠的广大非洲地区。如今世界卫生组织已将青蒿素作为基础药物的疟疾联合治疗方法向全球推广，青蒿素复方药物成为疟疾的标准治疗药物，青蒿素及其相关药剂也被列入基本药品目录。

自从青蒿素用于疟疾治疗以来，究竟挽救了多少疟疾患者的生命，实在难以统计。不过，自从20世纪90年代末青蒿素作为治疗疟疾的一线药物得到广泛应用以来，通过拯救全球最贫困地区疟疾患儿的生命，有效扼制了当地人口的负增长。疟疾每年影响着将近2亿人的健康，而青蒿素的使用降低了20%（总体）至30%（儿童）的死亡率。仅在非洲疟区，青蒿素每年就能挽救10万人的生命。

可以设想，假如没有青蒿素，不仅很多疟疾患者将濒临死亡，而且疟疾传播到世界各地会造成更大规模的人员损失。疟原虫已对氯喹等传统抗疟药产生耐药性，它们已经无力阻止疟原虫的在全球范围内广泛传播，在一个没有青蒿素的世界里，疟疾对人类生命构成的威胁几乎是毁灭性的。

（3）青蒿素依赖过氧桥结构发挥抗疟作用

虽然青蒿素抗疟疾的具体机制仍不清楚，但青蒿素依赖过氧桥的自由基形成发挥抗疟作用是明确的。以前有人认为，青蒿素主要作用于疟原虫吞食血红蛋白后产生的疟色素，疟色素中的螯合铁可以使青蒿素的过氧桥还原，从而大量形成氧自由基杀死疟原虫。但是，另一种理论认为，青蒿素可能打破细胞的氧化还原循环，因为青蒿素被发现能抑制疟原虫消化泡膜上的谷胱甘肽-S-转移酶。最近有人提出一个新的假说，认为氧自由基导致疟原虫ATP酶（PfATP6）受到抑制，由此阻断能量代谢过程而致死。

PfATP6被确认为青蒿素作用靶点的证据是：青蒿素也能抑制哺乳动物钙

ATP酶（SERCA）；PfATP6与SERCA突变能调节对青蒿素的敏感性；用去污剂使PfATP6与SERCA液化，两者对青蒿素都不敏感。

（4）青蒿素复方不易诱发疟原虫耐药性

尽管临床上曾发现有些疟疾病人对青蒿素类药物不敏感的现象，但到目前为止尚未确认世界上存在青蒿素耐药性疟原虫。不过，由于使用青蒿素单药已长达30年，2008年在东南亚发现了第一例青蒿素耐药性临床证据。2012年在泰国及2014年在柬埔寨、越南和缅甸又分别报告了青蒿素耐药性病例。目前还难以断定上述青蒿素耐药性究竟是源于宿主细胞、疟原虫还是两者，也不清楚抗性的本质属于基因突变还是表达诱导。

青蒿素像其他任何抗疟药物一样，理论上也存在诱导疟原虫耐药性的潜在危险。从多年来青蒿素的应用效果来看，仅观察到零星的耐药性疟疾病例，暗示这类耐药性可能源于疟原虫抗氧化酶的诱导，而不是发生了抗药性基因突变。由于成熟红细胞没有细胞核，推测基因表达上调诱导的耐药性只可能发生在疟原虫体内，而不可能出现在红细胞中。

由于青蒿素激发的活性氧自由基可以诱导疟原虫抗氧化酶及抗氧化剂的合成，故能降低疟原虫对青蒿素的敏感性，使得藏身于红细胞中的疟原虫免于被活性氧自由基攻击。反过来，抗氧化酶抑制剂能使疟原虫恢复对青蒿素的敏感性。这说明青蒿素也可能诱导耐药性，只不过青蒿素作用迅速，不易诱导耐药性。

只要注意避免青蒿素的长期和多次使用，就不会诱导抗氧化酶表达，也就不易诱导耐药性。同时，若在青蒿素中添加促氧化剂或抗氧化酶抑制剂，则疟原虫更难产生青蒿素耐药性。不过，为了保险起见，世界卫生组织反复强调要避免青蒿素单独用药。今后不仅要继续确保青蒿素与长效抗疟药联用，而且也可考虑青蒿素与促氧化剂或抗氧化酶抑制剂联用。

青蒿素减肥

假如一个人受到大量病原体感染或侵入的少量病原体在体内迅速繁殖，就能引起急性炎症，由此可以最终清除病原体，如引起普通流感的流感病毒。当病原体数量极少或病原体足以抑制免疫功能时，就会引起慢性炎症，免疫系统很难彻底清除病原体，如引起肺结核的结核分枝杆菌。

有趣的是，当肠道微生物群落出现生态失调后，某些蛋白聚糖硫酸酯降解细菌过度生长，导致肠壁完整性受损，革兰氏阴性细菌内毒素会透过肠壁渗漏到血液中，导致全身慢性低度炎症。炎症可以通过诱导iNOS激发大量一氧化氮合成，再通过争夺一氧化氮合成前体——精氨酸阻遏eNOS和nNOS活性，从而破坏线粒体再生功能。

脂肪组织从形态上可以区分为褐色脂肪组织与白色脂肪组织，前者线粒体多，且分布着大量血管，而后者线粒体少，血管很少。炎症诱导的线粒体数量减少可以使褐色脂肪组织转变成白色脂肪组织，而脂肪因无法通过线粒体有氧氧化转变成热量耗散，只有脂肪生成，没有脂肪分解，最后就会导致超重和肥胖（见图13）。

青蒿素可以作用于呼吸链，促进线粒体再生，因而能使脂肪组织褐化，并加速脂肪的氧化分解。不过，由于青蒿素不能选择性抑制iNOS，故单用青蒿素的减肥效果不佳。只有当青蒿素与抗生素（抑菌）及免疫抑制剂（抗

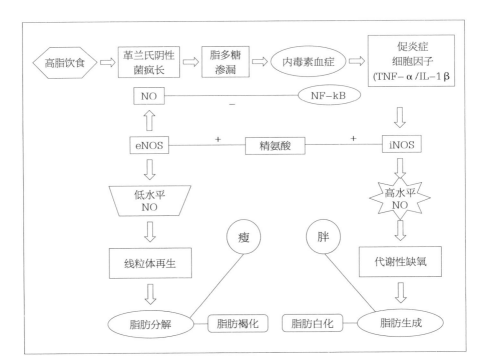

图13 "+" 表示激活，"–" 表示抑制。eNOS：内皮细胞型一氧化氮合酶；

IL-1β：白细胞介素1β；iNOS：诱导型一氧化氮合酶；

NF-κB：核因子κB；TNF-α：肿瘤坏死因子α。

炎）共用时，才能收到显著的抗肥胖效果。

最新研究表明，肥胖不一定是病。单纯营养性皮下脂肪贮存导致的肥胖无炎症，不会诱发胰岛素抵抗，2型糖尿病也不可能发作，属于"健康的肥胖"。相反，肠菌失调性内脏脂肪储存引起的肥胖（"大肚腩"）有炎症，可以诱发胰岛素抵抗甚至引起糖尿病发作，属于"不健康的肥胖"。显然，只有不健康的肥胖才需要减肥。

青蒿素延寿

人的寿命取决于细胞分裂的次数，即"海夫利克极限"。衰老的主要原因是细胞分裂活性因染色体端粒逐渐缩短而不断减弱，端粒缩短则源于活性氧自由基的破坏。线粒体是细胞中活性氧自由基迸发的发源地，线粒体功能决定着细胞的命运。若线粒体功能异常，活性氧自由基就会增多，细胞衰老速度也随之加剧。因此，线粒体功能失调可能是衰老的"罪魁祸首"。

通过节食进行热量限制可以活化eNOS和nNOS，从而促进线粒体增殖活性，并增强细胞抗氧化能力，同时抑制物质合成代谢途径并活化物质分解代谢途径，使细胞在不进食或少进食的情况下也能依赖细胞组分自噬来维持其基本的代谢功能。由于代谢活性主动下降，活性氧自由基产生的速率随之大幅度减慢，导致端粒缩短程度趋缓，细胞衰老速度下调，寿命也就延长了。

青蒿素能模拟节食的延寿效果，因为它也能诱导eNOS和nNOS，通过促进线粒体增殖与代谢转变降低端粒缩短速度，最终起到抗衰老的作用。不过，青蒿素发挥延寿作用的浓度极低，在酵母中仅为0.1~0.5微摩尔，在小鼠中仅为260微摩尔。这种通过低浓度有毒物质发挥有益作用的现象被称为"低毒兴奋效应"。

最后还要揭秘一种十分有趣的现象，那就是青蒿素与2,4-二硝基苯酚、二甲双胍、白藜芦醇、雷帕霉素一样都能延寿，其中的奥秘就在于它们都能直接或间接诱导eNOS和nNOS，促进生理性一氧化氮合成，而且都通过增加线粒体数量发挥正向代谢调节作用。因此，一氧化氮有"青春之泉"之称，而线粒体就是"青春之泉"的所在之处（见图14）。

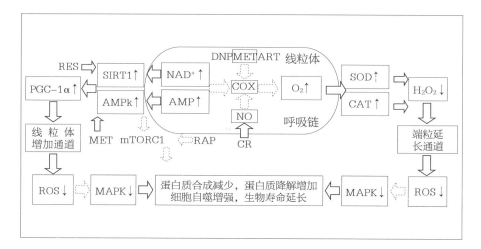

图14 实线箭头表示激活，虚线箭头表示抑制，方框内箭头朝上指上调，箭头朝下指下调。AMP：腺一磷；AMPK：腺一磷依赖蛋白激酶；ART：青蒿素；ATP：腺三磷；CAT：过氧化氢酶；COX：细胞色素c氧化酶；CR：热量限制；DNP：2,4-二硝基苯酚；H2O2：过氧化氢；MAPK：丝裂原活化蛋白激酶；MET：二甲双胍；mTORC1：哺乳类雷帕霉素靶点复合物1；NAD+：氧化型辅酶I；NADH：还原型辅酶I；NO：一氧化氮；O2-：超氧阴离子；PGC-1α：过氧化物酶体增殖物激活受体γ辅助活化因子1；RAP：雷帕霉素；RES：白藜芦醇；ROS：活性氧；SIRT1：氧化型辅酶I活化去乙酰化酶；SOD：超氧化物歧化酶。

青蒿素消炎

过去对类风湿性关节炎的病因不太清楚，但现在认为长期感染导致的慢性炎症是引发该病的"元凶"，而免疫系统在其中发挥着主导作用。因此，把类风湿性关节炎定义为自身免疫性疾病与炎症性疾病是合理的。

在遭遇病原体入侵时，免疫细胞除了形成抗体（体液免疫）和分泌细胞因子（细胞免疫）外，免疫细胞还会合成大量一氧化氮辅助免疫系统杀灭入侵的病原体。炎症发生后，iNOS受细胞因子诱导而被激活，结果合成过多一氧化氮导致局部组织缺氧。

一氧化氮之所以能诱发细胞进入缺氧状态，是因为它能与氧竞争结合血红蛋白和肌红蛋白，使二者不能再携氧至全身组织细胞。同时，过量一氧化氮还能透过细胞膜进入线粒体，与细胞色素c氧化酶结合，导致呼吸链上的电子传递中断，结果线粒体功能失调，进一步加剧缺氧引起的破坏作用。

缺氧会有什么后果呢？缺氧会促进新血管形成，也会加速血液成分合成，由此将炎症物质带到缺氧部位，最终出现关节局部红肿、疼痛、软骨及骨损伤。关节是一个相对缺氧的器官，其表层滑膜的氧分压只及其他组织的6%，内部滑液所在处的氧分压更低至1%，所以关节在缺氧所致组织损伤时首当其冲。

青蒿素可以有效抑制iNOS的活性，使一氧化氮诱导的缺氧状态不再出现，关节损伤也就能迅速中止。不过，青蒿素并未清除感染，也未消除炎症，若将青蒿素与抗生素和免疫抑制药（如雷帕霉素）配伍，则治疗类风湿性关节炎的效果将明显提高。

青蒿素抗癌

癌细胞依赖一氧化氮抵御抗癌药物的攻击，通过修饰抗癌药物降低其原有活性。当青蒿素与癌细胞内一氧化氮合酶的血红素结合后，就能强力抑制一氧化氮合成，使癌细胞和细菌对抗癌药物与抗生素的敏感性大大提高。

目前还不清楚癌细胞用来起保护作用的一氧化氮来自eNOS或nNOS，还是来自iNOS。但是，由于青蒿素结合血红素蛋白没有选择性，故推测eNOS、nNOS、iNOS均被抑制，结果失去一氧化氮保护作用的癌细胞，就在抗癌药物的攻击下一命呜呼。

不过，青蒿素的使用剂量对癌细胞的生死存亡有着决定性的影响。这是因为高浓度青蒿素可完全抑制一氧化氮合成，癌细胞必死无疑，而低浓度青蒿素却能诱导一氧化氮合成，癌细胞尚能苟延残喘。

青蒿素的抗癌活性较低，更适合用作抗癌药物的增效剂。但是，若将青蒿素与抗氧化剂联用，则可大大提高其抗癌活性。例如，青蒿素单用的抑瘤率仅为47%，而与谷胱甘肽耗竭剂、谷胱甘肽过氧化物酶抑制剂、过氧化氢酶抑制剂联用后，抑瘤率升至67%。

这是因为青蒿素在激发氧自由基的同时，也会诱导抗氧化酶的表达及抗氧化剂的合成。在多次使用青蒿素后，癌细胞的抗氧化能力将大幅提高，因而可以清楚氧自由基，使青蒿素的抗癌作用逐渐丧失，直至毫无作用。

青蒿素杀菌

细菌也能依赖一氧化氮阻断抗生素的追杀，其机理是修饰抗生素，使其丧失活性。革兰氏阳性细菌有自己的一氧化氮合酶（bNOS），可以自主合成一氧化氮，而革兰氏阴性细菌自身不含一氧化氮合酶，而是通过硝酸盐及亚硝酸盐的还原作用产生一氧化氮。虽然青蒿素不能抑制革兰氏阴性细菌（如大肠杆菌）合成一氧化氮，但它能抑制细胞的过氧化氢酶活性，从而使过氧化氢浓度升高，最终也能杀死大肠杆菌。

因此，青蒿素一方面可以与细菌的一氧化氮合酶结合，令其失去合成一氧化氮的能力，另一方面青蒿素又可以与细胞的过氧化氢酶结合，使过氧化氢无法被分解，使细菌因缺乏一氧化氮保护及受过氧化氢损害而被抗生素迅速抑杀而死亡。

青蒿素即使有直接抗菌作用，也不会太强。因此，宜将青蒿素用作抗生素的增敏剂，这样可以有效阻断抗生素耐药性细菌的滋生。由于青蒿素并不与特定的抗生素结合，故它与任何抗生素配伍都能提高其抗菌活性。

不过，以上有关青蒿素的抗病研究目前还停留在动物实验阶段，离临床应用还会有一段距离。随着研究的不断深入，青蒿素在其他疾病防治中的应用将会逐步实现，尤其是在青蒿素被授予诺贝尔奖后，更会掀起一股深入挖掘青蒿素广谱药用价值的热潮，让我们拭目以待！

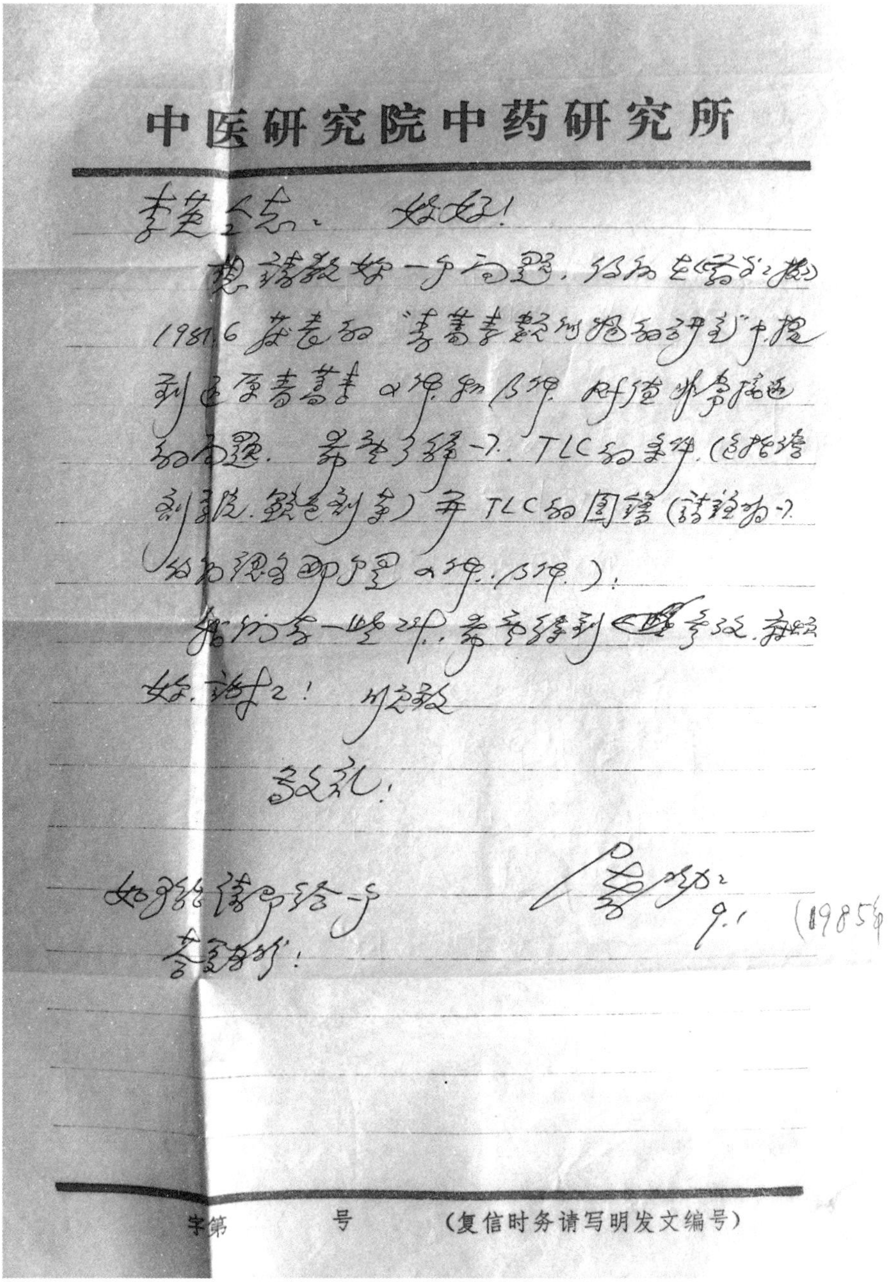

中医研究院中药研究所

李英同志： 您好！

……1981.6……TLC……TLC……

9.1 （1985年

字第　　　号　　（复信时务请写明发文编号）

屠呦呦1985年9月1日写给“523任务”成员、药学家李英的信

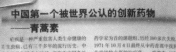

青蒿素入选《365个第一次：
共和国50年珍贵图录》

青蒿素入选《365个第一次：
共和国50年珍贵图录》

第五章

从诺贝尔奖说开去

青蒿素是传统中医药送给世界人民的礼物，
对防治疟疾等传染性疾病、维护世界人民健康具有重要意义。
青蒿素的发现是集体发掘中药的成功范例，
由此获奖是中国科学事业、中医中药走向世界的一个荣誉。

——呦呦说

革命尚未成功

张田勘

瑞典斯德哥尔摩当地时间2015年10月5日中午11时30分，瑞典卡罗林斯卡医学院诺贝尔生理学或医学奖评委会把2015年诺贝尔生理学或医学奖授予爱尔兰医学研究者威廉·坎贝尔（William C. Campbell）、日本学者大村智（Satoshi Omura）和中国药学家屠呦呦。他们三人发展了一些疗法，这对一些最具毁灭性的寄生虫疾病的治疗具有革命性的作用。

获奖的意义

屠呦呦的获奖显然是因为她首先发现和解释了青蒿治疗疟疾的原理，即青蒿素的作用。屠呦呦的获奖对于中国和中国人是开创了和创造了历史，因为，这是中国本土科学家第一次获得诺贝尔自然科学奖，至少是圆了中国人多年的诺贝尔奖梦想，也让中国人的诺贝尔奖情结得到了某种程度的开释。

屠呦呦获奖的意义首先在于，这是对青蒿素战胜疟疾的肯定。由寄生虫引发的疾病折磨了人类数千年之久，已成为一个重要的全球性问题。特别是这类疾病感染了世界上最贫困的人群，为人类改善健康和追求幸福带来了沉重的负担。包括屠呦呦在内的三位获奖者的研究成果，对治疗这世上最可怕的寄生虫病而言，是一种彻底的革新，也为患者和他们的家庭带来福音。

诺贝尔生理学或医学奖颁发的内容包括基础医学研究和临床医学，前者是打地基，后者是应用。在诺贝尔生理学或医学奖的历史上，发给基础医学研究的多于临床应用的。但是，2015年的诺贝尔生理学或医学奖颁发的是对寄生虫治疗的应用项目，这说明，诺贝尔生理学或医学奖并非只是重基础而轻视应用。这种两者兼顾的传统在诺贝尔奖的历史上已经屡见不鲜。

例如，1943年美国的瓦克斯曼（Selman Waksman）从灰链霉菌的培养液中提取出一种抗生素，称为链霉素，具有抗结核杆菌的特效作用，由此开创了结核病治疗的新纪元，结核杆菌肆虐人类生命几千年的历史得以遏制，因此瓦克斯曼获得1952年的诺贝尔生理学或医学奖。

疟疾是一种顽症，过去通常用氯喹或奎宁来进行治疗，但疗效越来越不好。在20世60年代末，治疗疟疾的方法已经失效，而且疟疾患者越来越多，从那时起，屠呦呦开始尝试用传统的中草药疗法来治疗疟疾，利用大规模筛选的办法来尝试哪一种草药对疟疾感染的动物有效，在研究中，屠呦呦发现了青蒿中的提取物有疗效，但重复的结果却是不同的。

于是屠呦呦重新去翻阅古籍，找到了提取的办法。屠呦呦是首位发现提取物的科学家，该物质随后被命名为青蒿素。青蒿素治疗动物疟疾和人类疟疾都具有很好的疗效。青蒿素能够在早期快速杀死疟疾寄生虫，这就解释了为什么青蒿素能够很好的治疗疟疾。

青蒿素的发现和使用在全球范围内挽救了数百万人的生命。2001年，世界卫生组织向恶性疟疾流行的所有国家推荐以青蒿素为基础的联合疗法，到2007年，在需要以青蒿素为基础的治疗的76个国家中，有69个已采纳世界卫生组织使用这一疗法的建议。

疟疾、艾滋病和癌症被世界卫生组织列为世界三大死亡疾病。青蒿素的问世拯救了无数因用不起昂贵的抗疟疾药物的贫困患者。1986年，青蒿素正式获得新药证书。2004年5月，世界卫生组织正式将青蒿素复方药物列为治疗疟疾的首选药物，从此青蒿素作为"中国神药"在世界各地显示奇效。

据世界卫生组织统计，全世界面临疟疾感染风险的人口超过34亿，而每年因疟疾死亡的人数超过450万，其中大部分是儿童。在疟疾重灾区非洲，自2000年起，撒哈拉以南非洲地区约2.4亿人口受益于青蒿素联合疗法，约150万人因该疗法避免了疟疾导致的死亡。

由于青蒿素和双氢青蒿素的使用，从2000年到2013年，全球范围的疟疾死亡率下降了47%，而在非洲疟疾的死亡率下降了约54%。疟疾的主要患病者是5岁以下的儿童，青蒿素主要保护的也是这些儿童的生命。在全球范围，由于青蒿素的使用，5岁以下儿童患疟疾的死亡率已经下降了53%，而在非洲5岁以下患儿的死亡率下降了约58%。当然，疟疾仍然是威胁人们生命的重大疾病，仅在2013年全球就有453000人死于疟疾。

同样，大村智和坎贝尔对治疗治疗盘尾丝虫病和淋巴丝虫病这两类寄生虫病做出巨大贡献，因为他们发明的药物阿维菌素以及从阿维菌素衍生的伊维菌素拯救了数以亿计的人群，尤其是撒哈拉以南非洲贫困地区人们的生命。从1970年至今，大约有1/3居住在西非河边乡村里的人在成年之前有可能变成盲人，这是由盘尾丝虫病造成的，而世界范围内感染淋巴丝虫病的人也约有1亿。

大村智和坎贝尔的贡献使得人们发现了对寄生虫病有很好疗效的新型药物阿维菌素和阿维菌素衍生的伊维菌素，后者对动物和人体内的许多寄生虫都有很好的治疗作用。而且，根据世界卫生组织的预测，伊维菌素在非洲的无偿使用有望在2020年前后让河盲症在地球上绝迹。如是，则可能是人类战胜天花、脊髓灰质炎（小儿麻痹症）之后，人类医药史上的又一个伟大成就。

基于上述成就，诺贝尔奖评委会称，"这三人的科研发现的全球影响及其对人类福祉的改善是无可估量的。"

"革命尚未成功"

在2015年的诺贝尔生理学或医学奖的新闻发布会上，一名印度记者提问，屠呦呦的获奖是否意味着西方医药界对传统替代药物的看法发生改变？对此，诺贝尔奖评委会委员弗斯伯格教授（Hans Forssberg）做了两次否定，在最后的回答中说："这不是对传统中医药的颁奖，我们颁的奖是给从中医药当中获得启发、做出贡献的个人，她能够从中做出新药，让我们在全世界销售。"

对屠呦呦的奖励是表彰一种寻找药物的过程，也是一种对屠呦呦等中国科学家过去在研发青蒿素过程中获得成就的一种肯定。所以，这是一种过去时，既是对过去的肯定，也是表彰研究人员艰苦而执着的追求和为科学而献身的态度。

除了过去时态，还应当清楚地看到有另一种时态，即将来时。这一点世界卫生组织和诺贝尔奖委员会看得更清楚。奖励过去是为了更好的未来，或是期许一个更为光明的未来。为了有更好的未来，现在就必须继续努力，策马扬鞭，不敢有丝毫懈怠，因为，即便是对疟疾有特效的青蒿素，现在也面临着失效的危险，很多地区的疟原虫已经对青蒿素产生了耐药性。屠呦呦和青蒿素的获奖是对相关专业人员提出了更高的要求，应当研制和找到更有效的药物或治疗方法，以应对疟疾和其他寄生虫疾病，保护公众的健康和生命。

尽管青蒿素在很多地方，尤其是非洲还是治疗疟疾，特别是治疗儿童疟疾的特效药，如果没有青蒿素，很多非洲孩子活不过童年，以致非洲很多孩子的起名都与青蒿素有关，但是，青蒿素的耐药性早就在20世纪五六十年代出现了。

以屠呦呦为代表的中国科学家研发的青蒿素的问世曾一度解决了疟疾的耐药性，而且由于致病菌在与人类和药物抗争的过程中呈现道高一尺魔高一丈的拉锯，世界卫生组织一再提醒各国公共卫生部门谨慎用药，并且推广疟疾治疗的联合用药（以青蒿素为基础的综合疗法，ACTs），但是，疟疾的耐药性还是不可避免地再次出现。

2003年至2004年，首例青蒿素耐药（ACTs耐药）病例出现在泰国-柬埔寨边界。2009年，以青蒿素为基础的ACTs对泰国、柬埔寨等国的一些疟疾已经明显失效。因此，世界卫生组织不得不承认，过去十多年，治疗疟疾最有效的药物青蒿素已在柬埔寨、缅甸、越南、老挝以及泰国边境地区越来越多的患者中失去作用。

这个事实让人们无奈和惋惜，因为，青蒿素是过去几十年来对抗疟疾最有效的药物，也是中药当中经过了现代实验科学，包括药理学、病理学、生物化学、分子生物学和基因学检验并得到国际认可和推崇的一种药物。在21世纪初，世界卫生组织宁愿相信疟疾对ACTs耐药的原因是伴侣药的问题，而非青蒿素的问题。

但现在，事实证明，疟原虫的耐药既是青蒿素的问题，包括用药和药物本身的问题，也是疟原虫适应环境和对药物抗争的问题。大量研究表明，疟原虫的基因在应对青蒿素时出现了变化，从而变得对青蒿素更为耐受。

早在2012年，发表在《自然》杂志的一篇研究文章就指出，一种称为K13的基因突变蛋白与疟原虫耐受青蒿素有紧密关联性。2013年在《新英格兰医学杂志》上发表的另一篇文章则提示，东南亚的疟疾耐药性普遍存在K13基因突变。研究人员同时确认K13基因位点在疟原虫的第13个染色体上，其编码的K13蛋白形状与风车类似。

对于疟原虫的耐药和疟疾危害人们的健康和生命，人类需要用更高的智慧来应对和解决，尤其是当屠呦呦代表中国研究人员获得诺贝尔生理学或医学奖后，中国人就有更大的责任来解决这一难题。除了在临床中需要联合用药以减少疟原虫的耐药性外，首先要解决的是，可否在青蒿素的基础上研发复方药物或从中药的宝库中再发掘一些有效对抗疟疾的药物，以避免或减少疟原虫的耐药性。如此，则有可能是中国人对世界的进一步贡献，没准可以再次获得诺贝尔奖（或许是化学奖）。

另一方面，也有研究人员提出了一个方向，利用基因剪刀，如最新的CRISPR/Cas基因修饰系统（这一发现也被预测可能在未来获得诺贝尔奖）来剪掉疟原虫的耐药基因，从而去除疟原虫的耐药性，让青蒿素和其他抗疟疾药物发挥作用。

屠呦呦获得今年的诺贝尔生理学或医学奖固然让中国人高兴，但是，"革命尚未成功，同志仍须努力！"

中西医药之争

屠呦呦的获奖被许多中国人认为是中医药的成功和胜利，但诺贝尔奖评委会否定了这一点。评委会成员、瑞典卡罗林斯卡医学院教授弗斯伯格（Hans Forssberg）称，"寻找新药的途径有很多种，人类通过不同植物寻找治疗方式由来已久，这可以激发我们寻找新药的新观念。"

诺贝尔奖评委会的回答其实提出了两个问题，青蒿素的研发的确与中医药无多大关系，但是，由于现代实验医学都是从不同国家的民族医药发展而来，在西方同样如此，因此，屠呦呦的获奖也与中药有千丝万缕的联系。

首先是，从表面上看，屠呦呦的获奖是中药学的成就，但从本质上看，屠呦呦的获奖首先体现了现代中医药学必须与现代实验医学接轨，并接受现代科学检验。现代实验医学的精髓之一是，必须体现科赫原则，即一种假说或原理应当得到重复检验，而且能从现代科学的机理上得到阐明，既知其然，也知其所以然。

自古以来，中国人都知道青蒿可以治疗疟疾，但是，青蒿为什么能治疗疟疾却不甚了了。是屠呦呦等人以沸点在60摄氏度下的乙醚制取青蒿提取物，即青蒿素，经过191次实验，才在实验室观察到青蒿素对鼠疟、猴疟疟原虫的抑制率达到了100%。这意味着实验检验了科学假说，只有从低温提取出的鲜青蒿汁才具有强大的抗疟功能。

同时，屠呦呦的获奖是全体中国科学家，尤其是药学、生物化学、有机化学等方面专家的集体成果，而且也证明，科学是一项科学共同体共同的事业。因为，知道青蒿素所以然的工作和成果是在后来其他学科的共同努力下得到进一步证实的。

例如，中国科学院上海有机化学研究所的周维善带领的研究小组对青蒿素进行了结构测定和人工全合成。该研究小组采用高分辨率质谱仪，经过反复研究和测定，认定青蒿素是一个有15个碳原子、22个氢原子和5个氧原子组成的化合物（分子式为$C_{15}H_{22}O_5$），是一个倍半萜类化合物，含有过氧基团的倍半萜内酯结构，而且，这个药物的分子中不含氮。

而且，该研究团队的研究还证明西方学者提出的"抗疟化学结构不含氮(原子)就无效"的药学观念是错误的。这既是现代实验医学反复检验的结果，也是不同学科的科学家共同协作的成果。到了后来，周维善研究小组又开始了青蒿素的全合成研究，这是检验青蒿素是否存在，其结构是否真实的更重要的深层次研究，因为此前的结构是根据光谱数据解读出来的，还需要全合成来检验。

经过5年的潜心研究，1984年年初，研究组实现了青蒿素的全合成，合成的青蒿素与天然青蒿素完全一致。这同样是现代实验科学的成就和科学家集体协同研究的结果。

屠呦呦的获奖也同时表明，青蒿素的确与中药有千丝万缕的联系，就连诺贝尔奖评委会也承认，青蒿素是从中医药当中获得启发而产生的，当然是经过了现代实验医学的检验和证明。这在屠呦呦和中国几百名参与青蒿素提取研发的科研人员的工作中已得到证明。例如，早在公元前2世纪，中国先秦医方书《五十二病方》已经对植物青蒿有所记载。公元前340年，东晋的葛洪在其撰写的中医方剂《肘后备急方》一书中，首次描述了青蒿的退热功能。而李时珍的《本草纲目》则明确说明青蒿能"治疟疾寒热"。

屠呦呦等人则是系统整理历代医籍，并四处走访老中医，最后整理出了一个包括青蒿在内的640多种草药的《抗疟单验访集》。最后才把目标锁定为青蒿。所以，中药是一个线索，通过这个线索引出的是用现代实验科学证明的并能阐释清楚科学机理的新药——青蒿素和双氢青蒿素。

拉斯克奖为何选择了屠呦呦？

早在屠呦呦获得2015年诺贝尔奖之前，2011年9月24日，屠呦呦就获得了拉斯克奖，从那时起，就产生了争议。

有人认为，屠呦呦既不是最先发现青蒿提取物抗疟作用的人，也不是首先分离到抗疟有效单体的人，将功劳全归给她一人，不公平也不合理。这种质疑也许有理，但也产生了一个问题：拉斯克奖为何选择了屠呦呦？

这需要从两方面来看待，一是拉斯克奖的评选是否公正和公平，二是屠呦呦本人在青蒿素发明的过程中是否做出了关键性的他人所不可取代的贡献。

第一个问题似乎并不难，因为拉斯克奖的评选与诺贝尔奖评选有相似之处。首先是候选人无需自己申请，而是由美国和国际的专业团体提名。这就用不着像中国评选院士和评职称一样需要拉关系和拉票。仅此一点，拉斯克奖选择屠呦呦就显得较为公平。另外，拉斯克奖的高级评判委员会要慎重遴选25名多学科的杰出科学家组成评委会，以保证评选的专业性和权威性，而且评审过程严格保密，以保证评委们在评议时保持公正。

至于第二个问题，根据已解密的材料来看，尽管青蒿素的发现是集体协作的结果，但起到决定性作用的应当是屠呦呦。在科学研究中，起到关键作用就是，能想到点子，并把这样的点子付诸实施并予以证明的人。

在当时的情况下，研究人员汇集了千百种抗疟候选植物和药物，都没有找到最为理想的一种。而且，对青蒿的试验还一度误认为其效果并不理想，以致让研究人员有废弃青蒿的打算。但是，唯独屠呦呦从《肘后备急方·治寒热诸疟方》中"青蒿一握，以水二升渍，绞取汁，尽服之"的记载中受到启发，认为高温可能对青蒿有效成分造成影响从而影响疗效。对此，屠呦呦又用实验来验证。

屠呦呦等人改用以沸点在60摄氏度下的乙醚制取青蒿提取物，并且经过191次实验，发现青蒿提取物对鼠疟、猴疟疟原虫的抑制率达到了100%。因此，尽管屠呦呦可能既不是最先发现青蒿提取物抗疟作用的人（寻根究底应当是中国人的祖先首先发现青蒿有抗疟作用的），也不是首先分离到抗疟有效单体的人，但是她建立的用乙醚提取青蒿素的方法却是最有效的，也是最实用的。

这一点就是科研中最重要的关键点，并且可以用一个生动的事例来说明。20世纪初，美国福特公司的一台电机出了故障，找来大量检修人员都找不到毛病，公司只得停产。无奈，公司只好请来了著名机电专家斯坦门茨。斯坦门茨经过仔细检查，用粉笔在电机外壳的某处画了一道线，指示修理工说，打开电机，把做记号处里面的线匝减少16匝。修理工照办后，故障立刻解除了。为此斯坦门茨向福特公司索要酬金1万美元。有人认为斯坦门茨有些贪婪，因为当时福特公司最著名的高薪酬就是月薪5美元。对此，斯坦门茨做了简单解释：画一条线值1美元，知道在哪儿画线值9999美元。

与此相似，发现并能提取出最有效的青蒿素来的屠呦呦是知道在哪儿画线的另一位斯坦门茨，所以，拉斯克奖选择了屠呦呦。

另一方面，拉斯克奖选择屠呦呦也说明，在科研或其他工作中，名气和论资排辈固然是一种因素，但最重要的因素是发现问题和解决问题的能力。这可以从2002年的诺贝尔化学奖得主之一、日本岛津制作所的普通工程师田中耕一获得启示。田中耕一非常平凡，既非教授、亦非博士，连硕士学位也没有，他几乎处于日本企业社会的最底层。并且，田中耕一几乎没有发表过什么论文，仅有的几篇也只是发表在不是很重要的会议和杂志上。他也与日本学术界几乎没有任何交往，所以日本学术界不会有人推荐田中耕一。

力推田中耕一的可能是美国和德国的学者，并且是在最后一刻顶替了一位德国学者，因为诺贝尔奖评委会认定，测定生物大分子质量的原始思想出自田中耕一。也就是说，点子出自田中耕一。

屠呦呦的情况也许与田中耕一相似。屠呦呦是一位既无博士学位、也无海外留学背景、头顶上更无中国两院院士桂冠，在中国科技界默默无闻的"三无"教授。她除了发现青蒿素之外，其他一切都很平凡。但是，我们可以看到，今年的拉斯克奖选择了屠呦呦正如2002年的诺贝尔化学奖选择了田中耕一一样。

为何诺奖颁给屠呦呦个人而非集体？

获得2015年的诺贝尔生理学或医学奖后，尽管屠呦呦明确表示，"这不是我一个人的荣誉，是中国全体科学家的荣誉，大家一起研究了几十年，能够获奖不意外"，但是，还是有人感到不平和不解，最大的不解是，既然青蒿素的发现是一个集体合作的项目，为何只有屠呦呦一人获奖，其他也有重大贡献的人没有获奖，在屠呦呦之后做出重大贡献的还有一长串名单：罗泽渊、魏振兴、李国桥、周维善、李英等。

这一问题其实早在2011年屠呦呦获得拉斯克奖时就有人提出来了，认为把奖励只给予屠呦呦一人不公平。因此，屠呦呦的获奖成了"誉满天下，谤满天下"的事件。在今天屠呦呦获得诺贝尔奖后，可能引发的争议和不解更大。

解惑释疑还是首先要从诺贝尔奖评选的标准和西方文化来看待。诺贝尔奖评选的重要标准主要体现在，原创性（第一个发现或发明）和重要性。这与西方文化重视个人的创造性思维和开创性成果不谋而合，或者说，诺贝尔奖的评选就是西方原创性文化的结晶和延伸。

无论是从原创还是重要性来讲，中国参与青蒿素发现和研制的集体中，没有人能出屠呦呦之右。这在拉斯克奖评选的理由中评委们已经向我们讲得很清楚很明确了。评委会认为，屠呦呦的研究有三个第一：第一个把青蒿素带到"523项目组"，第一个提取出有100％抑制率的青蒿素，第一个做了临床实验。

这些理由明确无误地说明，在原创性和重要性上，谁也超不过屠呦呦，也没有屠呦呦的贡献大。

当然，在青蒿素的发现上做出重要贡献的其他人未能获今年的诺尔奖也有运气的因素，在诺贝尔奖的历史上，不乏很多做出重大贡献却没有获奖的人，同样只能解释为，他们的运气不好，或者说让诺贝尔奖评委会难以选择。屠呦呦是与坎贝尔和大村智划归为"同类项"的，即在寄生虫疾病的防治上做出重大贡献而获奖，为何诺贝尔生理学或医学奖评委会不把今年的这一奖项完全授予青蒿素的发明，只有评委会知晓。

但在中国人看来，如果这样做，至少可以让中国人有三人获奖。但是，即便如此也会让中国人产生不平感和争议，因为的确有很多人对青蒿素的发现做出了重要贡献。只能说，诺贝尔奖评委实在难于被说服，在屠呦呦之后还有谁应当获奖。

诺贝尔奖评委会的为难也体现在1962年的诺贝尔生理学或医学奖，当时该奖授予英国的莫里斯·威尔金斯、弗朗西斯·克里克和美国的杰姆斯·沃森，因为他们发现并证明了DNA双螺旋结构。但是，也应当获得该奖的是英国女科学家罗沙琳德·弗兰克林。是弗兰克林与威尔金斯首先拍摄下了DNA的X光衍射照片，并提示DNA的结构可能是双螺旋，后来才由克里克和沃森建立了DNA双螺旋结构的模式。可以说，DNA双螺旋结构理论的确立乃四位科学家的功绩，而居功之首应推弗兰克林。

当初，早就有人分析，弗兰克林未获奖是运气不好。1958年弗兰克林因患卵巢癌而英年早逝（年仅37岁）。按诺贝尔的遗嘱，诺贝尔奖只发给那些为人类和社会发展做出了极大贡献并且在世的人，弗兰克林去世，自然该奖无法授予弗兰克林。

同时，按后来诺贝尔奖评选的不成文规定，一次授奖的个人不能超过三人。DNA双螺旋结构的发现显然是四个人的主要功绩，如果弗兰克林健在，这肯定会难倒评委们。只是弗兰克林的因病去世，为诺贝尔奖评委们创造了一个天造地设的机会，获奖者刚好三人，这个评审既能让各方如意，评委们也不会难以选择和良心有愧。

屠呦呦获诺奖与参评诺奖缺席

在屠呦呦获得2015年的诺贝尔生理学或医学奖的同时，诺贝尔奖评选也传来一个并不令中国人振奋的消息。诺贝尔物理学奖评委乌尔佳·布特纳教授表示，物理学奖评委会每年都会向中国大学发出邀请信，希望联系上物理学领域的教授，继而由他们向评委会推荐物理学奖候选人。但多年来几乎未得到来自中国的回复，"这非常可惜！"

如果特纳教授所言属实，也就揭示了一个秘密，中国多年没有获得诺贝尔奖的原因之一是，中国不愿意参与诺贝尔奖的评选，由于没有话语权，自然获得诺贝奖的机会减少了，否则，类似屠呦呦达到诺贝尔奖级的物理学和其他学科的研究成果会容易被更多的诺贝尔奖评委所熟知，尽管未能评得上诺贝尔奖。

诺贝尔奖是中国人多年来的梦想，要实现这个梦想，当然首先是靠实力，其次是其他方面的因素。如果中国的研究成果就像好酒，也可以有酒香不怕巷子深的本钱，而且，即便在酒香酒好的今天，也很怕巷子深，人们不知道不了解，因此要做很多宣传和传播，才能让更多的人知道你的酒香，从而踊跃购买。

但事实上，中国能参与评选诺贝尔奖的成果——好酒似乎并非很多，而且，酒香也不会飘香万里，为何要拒绝向诺贝尔物理学奖评委会推荐物理学奖候选人呢？

由于诺贝尔奖评选的保密和实际情况的了解较少，这里只能从一些常见的情况做一些分析。

一种情况是，中国物理学界不屑于参评诺贝尔奖，因此，不愿意搭理物理学奖评委会，可是，这又与实际情况不符。2002年日本的小柴昌俊因在探索宇宙中微子方面取得成绩而与另外两名美国科学家共同获奖获得诺贝尔物理奖后，中国物理学家遗憾了好长时间，以其中一篇文章的介绍最为经典，即《2002年诺贝尔物理奖与中国人擦肩而过》，说的是早在1978年1月中国科学家唐孝威曾与小柴昌俊在德国结识，共同提出中日两国合作建造大型水切仑柯夫探测装置，以探测质子衰变。后来，日本有经费支持这一项目，但中国科学家没有争取到经费，因此小柴昌俊能继续这项研究，并在后来获奖，而中国科学家没有能进行这项研究，后来才与诺贝尔物理学奖失之交臂。

无论其中的事实经过怎样，中国物理界所表达的遗憾是显而易见的，没有谁不愿意获得诺贝尔物理奖或其他诺贝尔奖项。所以，中国学界并非不屑于参评诺贝尔奖，还有一种情况是，中国物理学界太忙，没有时间和精力参与这个奖项。但是，知道了上述情况，也会清楚，这些都不是原因，因为中国人的诺贝尔奖情结举世皆知。所以，中国的大学不搭理诺贝尔物理学奖评委会可能是有其他原因。

一个可能的情况是，中国没有经得起考验的物理学研究成果，物理学奖评委会每年向中国大学发出邀请信时，中国物理学界感到没底气，自惭形秽，如果推荐出某些成果，恐怕会为人讪笑，所以不愿搭理物理学奖评委会。

另一方面，就是中国物理界不自信，认为自己并未得过诺贝尔奖，恐怕没有资格胜任推荐者的角色。

还有几种最不为中国人所看到的情况是，一是内斗，谁也别去，谁也别想好；二是，如果推荐了某些成果，被人识别出是造假，反而是偷鸡不成蚀把米。还有一种情况是，中国物理学界都在争项目和抢经费，顾不上诺贝尔奖评委会的邀请。

当然，如果不是这几种情况最好。而没有底气，反倒不妨，而是要有勇气参与到诺贝尔奖的评选中去。这方面，1993年诺贝尔生理学或医学奖的得主之一、英国科学家理查德·约翰·罗伯茨的意见可能更具参考意义。他认为，获得诺贝尔奖的经验或做法之一是，与瑞典科学家友善。与瑞典科学家友善当然是某种意义上的公关，即与瑞典科学家搞好关系。因为，有些诺贝尔奖得主会因为挑战错了对手（与人为敌），本应该得到的诺贝尔奖却被严重推迟了。谁也不会知道，你所挑战的人是不是已经进入了诺贝尔奖的评审委员会，或者你们干过一架之后他就成了评审委员会成员。

从这个经验出发，有两点值得注意。一是物理学奖评委会向中国邀请时，没有必要不搭理，而是要主动参与，从而获得某种程度的话语权。顺理成章地，第二点就产生了，在积极参与和搭理诺贝尔物理学奖评委会时，就不会得罪诺贝尔物理学奖评委会的委员，在以后评审中国物理学家的成果时就会顺利一些。

屠呦呦获诺奖的激励效果有多大？

获得诺贝尔奖固然是一种崇高的荣誉，但是在接受媒体采访时，屠呦呦道出的却是科研的艰辛和困难，这能否激励更多的学子、年轻人和更多的人在未来从事科研职业，从而改变年轻人的择业和人生志向呢？

屠呦呦谈到的一个重要问题是诺贝尔奖金，屠呦呦和先生李廷钊开玩笑地说，"这点奖金还不够买北京的半个客厅吧？！太少了啊！"今年诺贝尔生理学或医学奖奖金共800万瑞典克朗（约合92万美元），屠呦呦将获得奖金的一半，另外两名科学家爱尔兰的威廉·坎贝尔和日本的大村智共享奖金的另一半。

屠呦呦单独获得的41万美元按目前与人民币兑换汇率1：6.3559计算，应为260.5919万元人民币，买一套好地段的北京房子的半个客厅可能不够或勉勉强强。所以，如果为了获奖和生存而从事科研是难以立足的。这也从另一个角度表明，首先要解决科研人员的生存问题才有可能让科研出成果和成绩。而且，即便这样，人们在选择科研工作时，也可能会面临激流勇退还是逆水行舟的选择。

屠呦呦和整个青蒿素研究团队的研究人员的经历也表明，科研在某些时候的确是要下地狱的。屠呦呦等人试验的北京的青蒿质量非常不好，只有自身尝试用叶子和梗来验证有无青蒿素。此外，在做完动物试验后发现青蒿素有100％的抗御疟原虫的效果后，再在自己身上试验药物的毒性⋯⋯如此，屠呦呦的肝脏受到损坏，同事们也得了很多病。

这种情况与2005年诺贝尔生理学或医学奖得主之一，澳大利亚的马歇尔（Barry Marshall）相似，为了验证幽门螺杆菌致病的假说，马歇尔吞服了大量的幽门螺杆菌培养液，在两周后发现了胃痛、呕吐、进食困难、头晕冒冷汗、口臭等症状。胃镜检查发现，马歇尔的胃黏膜上长满了细长条的、弯弯曲曲的细菌，这正是幽门螺杆菌，证明幽门螺旋杆菌会导致胃溃疡，并因此后来获得诺贝尔奖。

因此，诺贝尔奖奖励的是那些在科学上有献身精神的人和能吃苦耐劳的人，如果不能吃苦和献身，显然不适宜于做科研。

当然，最重要的是，既然从事科研工作不是为了获得诺贝尔奖，而且实话实说，千千万万从事科研的人没有几个能有运气获得诺贝尔奖，以今年的诺贝尔奖为例，中国曾有60多个单位的500名科研人员，同心协力，寻找新的抗疟疾的药物——青蒿素，但只有屠呦呦一人获奖，因此从事科研就是默默无闻，或者是终身坐冷板凳，就像西西弗斯，终生都在进行单调而艰难的工作。

如果没有这样的坚持和认知，就不可能也无法从事科研工作。

从事科研的种种困难从屠呦呦的获奖体现出来，也难怪今天的年轻学子有很多并不愿意从事科研工作。最近，国内首次针对高中生群体的科学主题调研——女科学家萌芽计划全国高中生认知调研公布了结果，对北京、上海、广州等20个城市采样调查1200名学生的结果显示，仅有45%的高中生表示愿意成为科学家，而对从事科学事业持有强烈意愿的比例则低至27%。同时，女生有意愿从事科学工作的比例仅为38%，男生则略微过半。

为何学生表现出对科学的热情高而对成为科学家和从事科研的意愿低？学生的一些回答提供了部分答案。他们认为，科学研究需要耗费大量时间和精力、单调而又辛苦；科学家是一种特殊的职业，只有少数人才会选择，和自己的关系不大；女科学家是科学领域的少数群体，不仅是一种特殊的职业，更不如男性有优势，而且科研"缺乏生活情趣"；女科学家所享有的社会地位不够高，她们的付出与所受到的社会关注并不完全对等。

这些回答已经说明，屠呦呦获得诺贝尔奖可能并不会激励更多的人从事科研工作。也可能正因为如此，诺贝尔奖本身的意义才尤为重要，奖金不足以让科学家过上体面的生活，更不可能让其成为富翁，但奖励是一种高山仰止，景行行止；虽不能至，然心向往之的激励文化，甚至是一种机制，希望有更多的人从事和献身于科研工作。

当然，诺贝尔奖的激励后面是一种崇高，尽管这样的崇高太沉重，是每个人难以承受之重，用屠呦呦的话来说便是，"与获奖相比，我一直感到欣慰的是在传统中医药启发下发现的青蒿素已拯救了全球数以百万计疟疾病人的生命。"

如果青蒿素在拯救全球数百万计的人的生命的同时，也能即便不让科学家富起来，也能让其过上体面的生活，如通过专利机制，如此，也会鼓励更多的人从事科研事业。

科研的思路何其重要

曾庆平

在诺贝尔奖设立的120年后，第一次把诺贝尔奖颁给了中国女科学家，第一次把自然科学奖颁给了中国本土科学家，第一次让本土中国人获得了生理学或医学奖。2015年10月5日下午北京时间5点30分，中国中医科学研究院中药研究所首席研究员屠呦呦一举创造了诺奖史上的3个第一。13亿中国人终于体会到什么是"犹抱琵琶半遮面，千呼万唤始出来"的感觉！

应该说，青蒿素获奖既在意料之外，也在情理之中。说它在情理之中，是因为屠呦呦于2011年已获得素有"诺奖风向标"之称的拉斯克-德贝基临床医学奖；说它在意料之外，是因为今年汤森路透的诺奖预测名单中并没有屠呦呦。毕竟那个拉斯克奖颁发过4年有余了，这些年的期望一次次落空几乎让人觉得青蒿素已经获奖无望。

回溯历史，青蒿素项目获奖金牌熠熠生辉，青蒿素科研成就受到举世公认。青蒿素的成功既有赖于个人的努力，也体现了集体的智慧。青蒿素的奖项既有颁给个人的，也有颁给集体的。除了屠呦呦分享今年的诺贝尔生理学或医学奖之外，青蒿素历年来还屡获国内外的各种科学大奖。2011年屠呦呦荣获拉斯克奖。2004年中国青蒿素研究集体荣获泰王国国王普密蓬·阿杜德亲自颁发的泰国最高医学奖——玛希顿亲王奖。1996年青蒿素研究团队核心成员荣获香港何梁何利"求是"杰出科学成就集体奖。1977年青蒿素项目荣获首次全国科学大会重大科技成果奖。

屠呦呦作为中国青蒿素研究集体的杰出代表荣获巨奖当之无愧！正如诺奖颁奖词所述，屠呦呦的获奖理由是她发现了一种抗疟疾的新疗法，即青蒿素抗疟法。当然，熟悉青蒿素研究历史的人都知道，把青蒿素开发成抗疟药并不是屠呦呦一个人的功劳，她的最大贡献在于首先发明了青蒿素的有效提取方法，使得随后的结构鉴定与临床研究得以顺利进行。虽然这次只有屠呦呦一个人获奖，但它标志着国际学术界对中国自然科学研究成就的认可与肯定。

屠呦呦的科学贡献可以总结为3个"最先"：最先经过动物实验及人体试验发现青蒿乙醚提取物的高效抗疟作用（1971年10月4日）；最先从青蒿中提取出青蒿素结晶（1972年11月8日）；最先经临床试验初步证实青蒿素结晶对疟疾患者有效（1973年9月至10月）。2011年拉斯克奖授予屠呦呦的理由也是基于她的3个"第一"：第一个把青蒿素带到青蒿素项目组，第一个提取出有100％抑制率的青蒿素，第一个做了青蒿素抗疟临床实验。

屠呦呦发明的青蒿素低温萃取法不仅是一种方法创新，更是一种思路创新。从高温提取到低温萃取看起来只是一种温度的简单改变，但在当年对青蒿素一无所知的情况下，这种改变不是一般人能够想到的，而且温度究竟多高才合适，必须经过无数次实验。假如温度并非青蒿素能否分离成功的前提，那么实验花费的人力、物力和财力越多，成功的希望越渺茫。

由此可见，科研的思路何其重要！屠呦呦独到的科研思路既不是娘肚子里带来的，也不是头脑中固有的，而是受到先人的启发。东晋葛洪所著《肘后备急方》中写道："青蒿一握，以水二升渍，绞取汁，尽服之"。正是其中的"水渍"和"绞汁"让屠呦呦琢磨出青蒿素可能不耐热，只能用低温萃取的想法。

不过，虽然古训的经验之说难能可贵，但不能把它们以教条主义的做法原封不动地照搬。实际上，青蒿素不溶于水而溶于油，天然青蒿合成的青蒿素就贮存在充满芳香油的"腺毛"中。假如机械地套用"水渍法"，那么青蒿素的提取量将会很低，远远无法达到实用的要求。

屠呦呦的创意有两个：一是改"水渍"为"醇提"，因为青蒿素为脂溶性而非水溶性，适合用有机溶剂提取；二是改"高温乙醇提取"为"低温乙醚提取"，因为高温能使青蒿素失效。以现在的眼光来看，这两个创意都不算什么"高科技"，也许大多数从事药化研究的人都可能想到。但是，当初不仅不知道青蒿中究竟含有什么抗疟成分，更不知道该抗疟成分究竟具有什么样的化学结构，屠呦呦能想到用有机溶剂提取，后来更考虑用低沸点有机溶剂在低温下提取，有力地证明科学研究贵在思路创新！

青蒿素对于人类的重大价值在于它挽救了数百万濒临死亡的疟疾患者的生命，青蒿素已被世界卫生组织推荐为抗疟联合疗法的核心药物。青蒿素荣获诺贝尔奖可谓货真价实，也是实至名归。中国人研制的青蒿素药，其抗疟机理与国外研制的传统抗疟药（如氯喹）完全不同，青蒿素不仅具有速效、高效和低毒等优越抗疟特性，而且在联合用药的前提下也不易诱发抗药性。

青蒿素在收获巨大荣誉的同时，也为我们带来了正反两方面的启示。从正面意义来看，青蒿素获奖充分表明"全国一盘棋，科研大协作"的科研模式仍未过时，不仅国内"两弹一星"大会战、胰岛素合成大攻关和杂交水稻大协作均获成功，而且国际上人类基因组计划也通过全球大联合取得了空前突破。

同时，青蒿素研究项目取得圆满成功，也说明这种传统的"从上到下"（科研招标单位下达课题）的科研组织机制可以像现行的"从下到上"（科研人员自行命题）的科研组织机制一样有效，有时甚至更胜一筹。抗疟药研制的动力源于抗美援越战场的迫切需求，而青蒿素的发现来自1967年5月23日立项的军民合作科研计划，俗称"523项目"。

还有一点值得强调的是，大项目科研活动成功的前提绝不只是要确保足够的人力、物力和财力，而是仰赖广大科学人无私的奉献精神和高尚的学术品格。俗话说"壁立千仞，无欲则刚"，这要求科研人员既不图名也不牟利，以国家的需要为个人的理想，以人类的命运为自己的前途。当年抗疟药研究集体的每个成员正是响应祖国的召唤和革命的需要，夜以继日地奋斗在发现青蒿素的艰苦工作中。

青蒿素获奖也让我们反思：首先，广大科研人员还是要继续发扬"自力更生，艰苦奋斗"的优良传统，力争"有条件要上，没有条件创造条件也要上"的创业精神，不要动不动就埋怨国内科研体制不良，并一味责怪单位科研条件差，只有全身心地投入和奋不顾身地奉献，方能在科学征程上尝到成功与胜利的喜悦，而过分计较名利得失必将一事无成。

　　至于对青蒿素究竟是"个人功劳"还是"集体荣誉"的纠结，随着青蒿素的发现获得拉斯克奖与诺贝尔奖也就尘埃落地了。诺奖看中的是青蒿素发现过程中的首创，而不是随后跟进的青蒿素临床应用优化。这是主流科学评价的"游戏规则"，中国人应该学会尽快适应，比如将国家最高科学技术奖颁给名副其实的科学家个人而不是集体。一个连外国人都认可的突出成就，中国人还要百般质疑吗？作为老一辈青蒿素研究同行们，不必对屠呦呦获奖抱有永远的成见，而应该把青蒿素获奖视为全体中国人的骄傲，还要认识到它比中国胰岛素研究的待遇要好得多，因为这次青蒿素获奖已经没有给青蒿素研究人留下任何遗憾了！

　　其次，青蒿素获奖也有中医药的一份功劳，因为青蒿素的成功分离就受到古代中医文献的启发。假如没有东晋葛洪所著《肘后备急方》中有关青蒿"水渍"和"绞汁"等制疟方法的记载，恐怕青蒿素的发现历程会更加曲折和艰难。屠呦呦正是从"水渍"和"绞汁"中悟出青蒿素可能不耐热的想法，于是在多次热提取青蒿素失败后，果断改用冷萃取法。这说明不仅中医药本身是现代医药开发的素材，而且中医药古代文献也是现代医药研究的宝藏。这让我们想起中医药现代化还要不要继续做下去？中医药现代化的出路在何方？青蒿素研究成果的取得及屡次获奖提醒我们：中医药现代化刻不容缓，而且恰逢其时，不是该不该继续做的问题，而是应该如何加快研究进程的问题。

以现代中药药物化学及分子药理学研究为核心的中药现代化很有必要，应该继续坚持下去。俗话说："百草皆药"，每一种植物天然产物都值得我们去认真研究，而现代药物开发仅仅触及了其中很小的一部分。尽管药物发现中的"人工进化"（即组合化学合成与高通量筛选）重要，但"自然进化"产生的天然药物更加可贵，因为高效低毒之故，预计今后将有更大比例的动植物和微生物来源的天然单体药物加入到市售药物清单中。

中药现代化应该怎样做？究竟是整体打包的"东方思维"好，还是化整为零的"西方思维"好？青蒿素的研究应该为回答这个问题给出了一个很好的注脚。有人担心中药或中药复方一旦被拆散，其药性不再或大大减弱，反对中药的单药提取及其药效研究。其实，这种过分担心没有必要，毕竟拆方效果最终要靠药效说话，而且不可能每种中药必须配伍才会有效。

我国科研人员的数量已达到6300万人之巨，占世界科技人才总量的25％。这就像巴西拥有很高的足球人才基数一样，中国不乏从事顶尖科研工作的杰出人才，当然也就有可能涌现诺贝尔奖获得者。但是，国家不宜人为地搞所谓"诺贝尔奖计划"和"诺贝尔奖级别成果速成攻关"，凡是为获诺贝尔奖而做科研的本末倒置行为注定陷入功利主义的怪圈，并偏离科学研究赋予"认识自然，探索未知"的原有境界。正如美籍华裔诺贝尔物理学奖获得者丁肇中警告的那样：科学家不能为诺贝尔奖工作，老想着诺奖反而无法做出能获奖的成果。

从今年的生理学或医学奖来看，汤森路透的预测完全不靠谱。这主要是诺贝尔奖评选委员会与科学研究团队追求的理念不同所致，诺贝尔奖更青睐实用成果，哪怕是多年以前的人和事，而学术团队更注重前沿研究，非得创新和第一不可。这就决定了诺贝尔奖从科研成果发布到颁奖相对滞后的属性，或许汤森路透的预测在今后若干年内可以实现。高影响力论文中固然集中了绝大部分高水平创新研究成果，但个别影响因子较低的学术期刊所刊载的论文并不一定都是低水平的，而更有可能是原创的和初步的创新性成果，青蒿素研究工作中所发表的系列论文就是一个鲜活的例子。

中医药是一个伟大宝库

李斌

中国中医科学院教授屠呦呦因受中医典籍启发找到治疗疟疾的青蒿素，近日获诺贝尔奖。消息传来，人们再次热议中医药发展。

究竟应该如何审视中医药的价值?中医药资源尤其是经典名方我们挖掘得够不够?……就公众关心的一些问题，新华社记者"六问"中医药界人士。

他们分别是中国中医科学院广安门医院副院长仝小林、科研处处长李杰，从医50年的天津武清中医院前院长陈宝贵，国医大师朱良春学术继承人朱婉华，福建省中医药研究院中药化学实验室主任、丁香园中医版版主朱贡峰，中国社会科学院中医药国情调研组组长陈其广、副研究员张小敏。

"中医药会焕发勃勃生机"：

采用科学态度深入研究才是正道

问：从屠呦呦获诺奖，尤其是治疟疾的青蒿素的诞生过程看，应如何审视中医药的价值？

仝小林：屠呦呦获诺奖，对"找回中国人自己的儿子（中医药）"，对找回中华民族的文化自尊和主体自觉，对找回中医是中国的也是世界的文化意识，作用都是巨大的。

李杰：喜悦的同时，确实是需要我们冷静思考中医药如何真正去传承和创新。荣誉是一种肯定，更是一种激励。中医药是一个伟大宝库，少些浮躁，真正采用科学的态度去深入研究才是正道。在大的时代背景下，大家共同思考，共同努力，准确定位，我坚信中医药会进一步焕发勃勃生机。

朱婉华：中医药是中华民族几千年来与疾病作斗争积累下来的宝贵经验，在《黄帝内经》《本草纲目》等经典中就蕴藏了许多可圈可点的智慧，如根据人中的长短可以判断子宫大小、从眼血管可以判断肝病的预后等。

中医药资源尤其是经典名方挖掘得"远远不够"

问：中医药资源尤其是经典名方我们挖掘得够不够？还有多大空间？

仝小林：继承是创新的源头。中药与西药研究最大的不同点是中药有几千年的人体试验，这是世界医药学中无与伦比的宝藏。屠呦呦在关键突破上借鉴了中医古籍。中医药人一定要充分挖掘老祖宗的智慧，为现代医疗服务。任何数典忘祖，任何妄自菲薄，都是对中国传统文化精髓的背叛。

朱贲峰：远远不够，现在只是冰山一角。

张小敏：无论是从经典名方、还是民间秘方挖掘，都远远不够。根据经典名方创制的各个医院的院内制剂，就是宝库。我们需要一套有利于这些资源在治病救人、知识产权、医药市场上发挥更大作用的规章制度和保障体系，摆脱现代医药体系的依赖，解放传统医药的生产力。

"中医人的自信应该在自己的修炼中磨炼出来"

问：我们应该有足够的"中医药自信"吗？究竟应该怎样才能有这种自信？

仝小林：当然要有。疗效永远是中医人追求的目标。用青蒿素挽救了几百万疟疾患者的生命，是屠呦呦教授最大的功德，诺贝尔奖只是科学对她的回报。

朱婉华：古人云，"不做良相，宁为良医"。中医人首先要有使命感和责任感，要耐得住苦读、耐得住清贫、耐得住寂寞，更要有团队协作精神。"静生智，智生慧"。现在外面诱惑太大、太多，静下来的人太少。中医人的自信应该在自己的修炼中磨炼出来。

张小敏：面对世界性的医学难题，我们应该有足够的中医药自信，利用独有的中医药资源，建立有利于中医药生存和发展的法律法规，建立传统医药的知识产权保护体系，走中国特色的解决世界性医学难题之路。

植物药"西化"是新药研发途径之一

问：屠呦呦获奖是否可以说是中医药的胜利？您如何看待中药以提取有效成分为主的现代化问题？

仝小林：发展中医药，必须充分借鉴和利用现代科学、现代医学的成果。屠呦呦的最终成功，有赖于现代科学、现代药学的技术，是传统与现代科技结合的典型案例。任何夜郎自大，任何故步自封，都是对中医药发展的桎梏。

朱婉华：屠呦呦获奖说明植物药"西化"是一种新药研发途径，不过也只是一种，不能统领全部的研发模式。中药复方有君臣佐使，是有它的科学道理的。日本就把《伤寒杂病论》里的经方视为宝贝，不需要新药研发就可以在药厂大规模生产。

张小敏：提取有效成分的现代化做法可以有，但是要警惕以此否定传统中医药的理论、实践和成果的观点。我们的危机在于，很多人在传统医药知识产权保护方面还没有危机意识。我们要用法律保障自己独有资源的自主权、主导权、知识产权。

朱贲峰：屠呦呦是把中药当作天然药物资源库，从中筛选提取出单体成分，成为化学药物。这条路需要有人走。但眼下，最紧迫的是高水平的中医研究，以中医思维、中医方式研究现代社会碰到的新疾病、新问题。

面对复杂性疾病："中医药有巨大潜力"

问：诺贝尔奖委员会称屠呦呦获奖是为表彰她在受到中药的启发下对一种药物的寻找过程，是否会引发国外医药巨头研发植物化学药的风潮？

仝小林：面对当今人类社会多发的老年病、慢病、多系统代谢性疾病等复杂性疾病，中医药有巨大潜力。治疗复杂性疾病，需要多种思维的碰撞、多种技术的相互补充对接。中医药对疾病的整体观和对待病人的个体化思想，与现代医学的系统生物学、精准医疗、个体化医疗，无论从思维模式还是研究的技术手段上，都可能产生出巨大的创新。

朱贲峰：我想会的。1998年辉瑞公司就向我们征集过中草药验方。

陈其广：国外药企在华早就布局研发中心了，不明摆着就是想走青蒿素的路吗？

中医药"确能有效治疗一些现代医学棘手的疾病"

问：屠呦呦获奖对国家发展中医药有何启发？有何建议？

仝小林：为什么在西医如此强大的今天，中医仍有旺盛的生命力？其实很简单，是因为人体太复杂，许多疾病还没有完全搞清楚，特别是现代社会，对逐步成为疾病主体的慢性病、老年病、多系统代谢性疾病、心理性疾病等如何整体把控和治疗？从理论到实践，现代医学都显得准备不足。而系统思维，整体把握，顺势而为，外辅内调，在调适、调心、调身基础上的辨证施治，正是中医学的精髓。按照这套系统理论，确能有效治疗一些现代医学棘手的疾病。这是中医学能够生存甚至发展壮大的唯一理由。中国的医改离不开中医药，医疗同样也离不开中医药。民族的，更是世界的！这是屠呦呦获诺贝尔奖给我们的最大启示。

陈其广：中西医各具特色和优势，共同服务国人健康，才是正道也是大道。

青蒿素与疟疾

张田勘

9月12日，2011年度拉斯克奖的获奖名单揭晓，中国中医研究院的屠呦呦获得临床医学奖，获奖理由是"因为发现青蒿素——一种用于治疗疟疾的药物，挽救了全球特别是发展中国家的数百万人的生命。"这也是至今为止，中国生物医学界获得的世界级最高大奖。有人认为，获得拉斯克奖离诺奖只有一步之遥。

疟疾与人类相伴

疟疾在热带和亚热带地区是常见病，中国就是一个饱受疟疾侵扰的国家。人患疟疾后会产生周期性高烧和寒战的症状，所以也俗称为打摆子。中国古人把疟疾被称为"烟瘴"，认为是飘浮的雾气导致人们中毒。

1880年，在阿尔及利亚工作的法国医生夏尔·路易·阿方斯·拉韦朗（Charles Louis Alphonse Laveran）在疟疾病人体内发现了一种单细胞寄生虫，并确定它是导致疟疾的直接原因，这种致病原便是疟原虫。为此，拉韦朗获得了1907年的诺贝尔生理学或医学奖。1897年，英国医生罗纳德·罗斯（Ronald Ross）证明疟疾是由蚊子传播给人的，为此，他获得1902年诺贝尔生理学或医学奖。

这两项发现已经奠定了人类抗击疟疾的基础。疟原虫是跨宿主成长的病原虫。它在脊椎动物体内进行无性繁殖，再到蚊子体内发育到性成熟阶段，进行有性生殖。迄今人们发现了4种疟原虫，其中最常见最有代表性的是恶性疟原虫（Plasmodium falciparum）。疟疾由称为按蚊的雌蚊传播，公蚊以植物汁液为生，与疟疾没有关系。

人被按蚊的雌蚊叮咬之后5~10分钟，疟原虫孢子就会到达人体肝脏，既可躲过人体免疫系统的攻击，又可利用肝细胞的营养来大量分裂繁殖。约一星期之后，疟原虫孢子胀破肝细胞逸出，把数以百万计的新孢子释放入血液。新孢子马上入侵红细胞，再次逃过免疫系统的追杀。它们以血红蛋白为食，继续繁殖，大概两天后破坏红细胞，产生更多的孢子入侵其他红细胞。如此往复，不久患者2/3的红细胞被疟原虫占领。而疟原虫在血液里的这种周期性的繁殖过程便导致病人三天两头地发高烧、打寒战。

此外，一些孢子在红细胞里发育成大小不同的雌雄细胞，蚊子叮咬患者时，雌雄细胞就进入蚊子体内，在蚊子的消化道里生存，发育成熟、彼此结合，进行有性繁殖。两个星期之后，新产生的孢子进入蚊子的唾液腺，在蚊子叮咬其他人时，把疟原虫孢子传播给他人。这就形成了疟疾传播的传染链。人和蚊子是疟原虫在生命不同阶段两个必不可少的宿主。

人被含有疟原虫孢子的蚊子叮咬后9~14天就可表现出疟疾症状，除了忽热忽冷，还会头痛、呕吐，有点像感冒。如果不进行治疗，感染很快就会加重并危及生命，因为疟原虫会通过破坏红细胞导致严重贫血或损坏重要器官，比如堵塞向脑部输送血液的毛细血管。

受到美洲部落金鸡纳树皮可以治疗疟疾的启发，1826年法国药师佩雷蒂尔和卡文顿从金鸡纳树皮中提取出了治疗疟疾的药物——奎宁，这是人类的第一个治疗疟疾的西药，由于疟原虫对奎宁产生了抗药性，后来又产生了另一些新药，如氯喹和乙胺嘧啶等药物。

青蒿素的发现和提炼

然而，由于疟原虫陆续对氯喹和乙胺嘧啶等药物产生了抗药性，研发其他更有效的药物就成为战胜疟疾的另一种选择。青蒿素正是人类挑选的迄今最为有效的抗御疟疾的药物。中国人对青蒿的认识其来已久。早在公元前2世纪，中国先秦医方书《五十二病方》已经对植物青蒿有所记载。公元前340年，东晋的葛洪在其撰写的中医方剂《肘后备急方》一书中，首次描述了青蒿的退热功能。而李时珍的《本草纲目》则明确说明青蒿能"治疟疾寒热"。青蒿在中国民间又称作臭蒿和苦蒿，属菊科一年生草本植物。《诗经》中的"呦呦鹿鸣，食野之蒿"中所指之物即为青蒿。

由于疟原虫对传统的抗疟药奎宁产生了抗药性，1967年中国开展了一项集中全国科技力量联合研发抗疟新药的大项目，这个科研大项目启动的日期是5月23日，因此将此项目命名为"五二三项目"。参与这项研究的有中国的60多个单位的500名科研人员。1969年1月21日，屠呦呦以中医研究院科研组长的身份，参加了"五二三项目"。

在此之前，国内其他科研人员已经筛选了4万多种抗疟疾的化合物和中草药，但却没有筛选出一种满意的药物。于是，屠呦呦等人开始系统整理历代医籍，并四处走访老中医，最后整理出了一个包括青蒿在内的640多种草药的《抗疟单验访集》。

不过，在第一轮的药物筛选和实验中，青蒿提取物对疟疾的抑制率只有68%，还不如胡椒的抗疟效果。同时，其他科研人员单位汇集到"五二三"办公室的资料里，对青蒿的抗疟效果的结论也不是最好。后来，在第二轮的药物筛选和实验中，青蒿的抗疟效果甚至降到只有12%。在相当长的一段时间里，青蒿并没有引起大家的重视。

发现青蒿其实需要慧眼。屠呦呦再次翻阅古代文献查到《肘后备急方·治寒热诸疟方》有几句话，"青蒿一握，以水二升渍，绞取汁，尽服之。"是否鲜青蒿汁才具有强大的抗疟效果呢？而且，这一记述与传统的中药煎熬后服用有很大的不同。煎熬后的中药经过了高温，是不是高温破坏了鲜青蒿汁的抗疟效果？

带着这些疑问，屠呦呦与研究组的研究人员用实验来验证。屠呦呦等人改用以沸点在60摄氏度下的乙醚制取青蒿提取物。1971年10月4日，经过第191次实验，屠呦呦在实验室观察到青蒿提取物对鼠疟、猴疟疟原虫的抑制率达到了100％。这意味着实验检验了科学假说，只有从低温提取出的鲜青蒿汁才具有强大的抗疟功能。

现代实验科学的进一步验证

提取的鲜青蒿汁被命名为青蒿素。证明低温下提取的青蒿素具有强大的抗疟功能只是青蒿素研究的重大的第一步。至于青蒿素为何有如此强大的抗疟功能，还需要更多的研究来阐明。例如，青蒿素的分子结构是什么，分子量是多少，是否可以人工合成，其杀灭疟原虫的作用原理是什么等等，都需要弄明白。通过现代实验科学，中国的其他研究人员逐步解开了这些谜团。

1973年年初，北京中药研究所获得青蒿素的结晶，希望有机化学家能解开其结构和抗疟原虫之谜。这个接力棒交到了中国科学院上海有机化学研究所的周维善院士之手，由他带领的研究组进行了青蒿素结构测定和人工全合成。

周维善小组采用科学仪器，如高分辨率质谱仪，经过反复研究和测定，认定青蒿素是一个有15个碳原子、22个氢原子和5个氧原子组成的化合物（分子式为$C_{15}H_{22}O_5$），它是一个倍半萜类化合物，含有过氧基团的倍半萜内酯结构，而且，这个药物的分子中不含氮。这证明西方学者提出的"抗疟化学结构不含氮(原子)就无效"的药学观念是错误的。青蒿素的结构测定工作在1976年结束，1979年5月出版的《化学学报》发表了研究人员的论文《青蒿素的结构和反应》。

1979年，周维善研究小组又开始了青蒿素的全合成研究。这是检验青蒿素是否存在，其结构是否真实的更重要的深层次研究，因为此前的结构是根据光谱数据解读出来的，还需要全合成来检验。

经过5年的潜心研究，1984年初，研究组实现了青蒿素的全合成，合成的青蒿素与天然青蒿素完全一致。随后，研究论文《青蒿素及其一类物结构和合成的研究》发表在1984年第42期的《化学学报》上。1977年，青蒿素项目在全国科学大会上获重大成果奖，1987年，青蒿素全合成成果获国家自然科学奖二等奖。

抗疟原理

在青蒿素之前已经有奎宁、氯喹和乙胺嘧啶等药物，它们的抗疟作用各有特点。奎宁对各种疟原虫的红细胞内期滋养体有杀灭作用，因而能控制临床症状。氯喹的作用原理比较复杂。临床药理学研究发现，应用氯喹后，疟原虫溶酶体内药物的含量高出宿主溶酶体千倍以上，由此认为疟原虫有浓集氯喹的特异机制。而且，氯喹可插入疟原虫DNA双螺旋链之间，形成DNA-

氯喹复合物，影响DNA复制和RNA转录，并使RNA断裂，从而抑制疟原虫的分裂繁殖。此外，氯喹为弱碱性药物，大量进入疟原虫体内，可使其细胞液的PH值增大，形成对蛋白质分解酶不利的环境，使疟原虫分解和利用血红蛋白的能力降低，导致必需氨基酸缺乏，从而干扰疟原虫的繁殖。

乙胺嘧啶则对恶性疟和间日疟的原发性红细胞外期有抑制作用，它能阻止疟原虫在蚊体内的孢子增殖，起控制传播的作用；还可抑制疟原虫红细胞内期的未成熟裂殖体，用于控制耐氯喹的恶性疟症状发作，但生效较慢；也可以抑制疟原虫的二氢叶酸还原酶，阻碍核酸的合成。常与二氢叶酸合成酶抑制剂磺胺类或砜类合用以增强疗效，用于耐氯喹的恶性疟。

然而，青蒿素的抗疟原理与之前的抗疟药有明显不同。尽管现在对青蒿素的作用原理还不是完全了解，但已有的一些研究能初步明了青蒿素的抗疟作用。

青蒿素的特点在于快速抑制原虫成熟。体外实验表明，青蒿素可明显抑制恶性疟原虫无性体的生长，有直接杀伤作用。而且，青蒿素的作用相当于氯喹的1.13～1.16倍。对源自青蒿素的一些药物进行研究发现，在青蒿素、蒿甲醚及青蒿酯钠的抗疟效应中，青蒿酯钠效果最好，为氯喹的16倍，为青蒿素的14.3倍，青蒿素和蒿甲醚的抗疟效果与氯喹相近。

青蒿素主要作用于疟原虫的膜系结构。它首先作用于疟原虫的食物泡、表膜、线粒体，然后是核膜、内质网、核内染色物质等。由于能干扰疟原虫表膜和线粒体的功能，就能阻止疟原虫的消化酶分解宿主的血红蛋白成为氨基酸，后者也就是疟原虫的食粮。疟原虫无法得到食粮，很快就产生氨基酸饥饿，迅速形成自噬泡，并不断排出虫体外，使疟原虫损失大量胞浆。结果导致虫体瓦解并死亡。体外培养的恶性疟原虫对氚标记的异亮氨酸的摄入情况也显示青蒿素的抗疟作用方式可能是抑制原虫蛋白合成。

而青蒿酯钠进入人体内后通过还原青蒿素来抑制疟原虫表膜–食物泡膜、线粒体膜系细胞色素氧化酶的功能，从而阻断以宿主红细胞胞浆为营养的供应。因此，青蒿素的抗疟原理既不同于奎宁、氯喹那样使疟原虫 DNA 受抑制以干扰疟原虫的繁殖，也不同于乙胺嘧啶、磺胺类药物那样干扰疟原虫的叶酸代谢来杀灭疟原虫，而是抑制疟原虫表膜–食物泡膜、线粒体膜系细胞色素氧化酶的功能，直接杀灭疟原虫。

综合性防治疟疾效果最好

尽管青蒿素有强大的抗疟功能，但也有其局限性。例如，青蒿素对疟原虫红细胞内期有杀灭作用，但对红细胞外期和红细胞前期无效。青蒿素亦可诱发疟原虫的抗药性，但比氯喹慢得多。

疟原虫对氯喹耐药性的发生，可能与其从体内排出药物增多和代谢加速有关。而耐乙胺嘧啶的疟原虫的二氢叶酸还原酶大量增加，使乙胺嘧啶对疟原虫的抑制作用明显减弱。鉴于疟原虫对这些药物产生了耐药性，世界卫生组织建议各国临床一般采用联合用药疗法(ACT)，如奎宁+青蒿素，或者用青蒿素复方药。

尽管目前全球各地使用青蒿素为基础用以治疗疟疾的联合疗法疗效仍能达到90％以上，但世界卫生组织已确认，近几年在柬埔寨及泰国边境地区已出现了疟原虫的青蒿素耐药性，因此提出各国必须对刚刚出现的青蒿素耐药性现象迅速采取遏制行动。2011年1月12日，世界卫生组织在日内瓦发出一份题为《遏制青蒿素耐药性全球计划》的行动纲领，希望各国采取五项行动。

一是，遏制耐药疟原虫的传播；二是加强对青蒿素耐药性的监督和监测。三是规范采取以青蒿素为基础的联合疗法在临床实践中的实施办法。四是加强对青蒿素耐药性的相关研究。全球行动计划特别指出，目前特别需要集中资金用于对青蒿素耐药性的相关研究，以期开发研究出对耐药疟原虫更加快速有效的检测技术，并研究开发出可最终取代青蒿素为基础的联合疗法的新型抗疟药物。五是调动资源与激励行动。

可以看到，由于对青蒿素耐药性原理尚未明了，世界卫生组织在考虑联合用药的同时，也把目光转到了研发可以最终取代青蒿素的新药物。这也意味着，青蒿素并非抗击疟疾的唯一药物和手段。实际上，世界卫生组织一直重视抗击疟疾的预防和综合防治方式。该组织的统计表明，全球抗击疟疾的行动在2000-2010年期间拯救了73万多人的生命，其中近3/4是自2006年以来取得的成果。因为，最近5年间，滴滴涕室内滞留喷洒、药浸蚊帐（以杀虫剂如溴氰菊酯来浸泡蚊帐）和以青蒿素为基础的联合疗法得到日益广泛使用。

比起治疗来，预防更为经济和有效。室内残留喷洒滴滴涕是目前对付疟疾的有效工具之一，每家只要喷洒5美元的药就足够了。而长效杀虫蚊帐每顶也只需5美元，并且在5年之内不需要重新浸药。疟疾对穷人的影响最大，80%的疟疾都发生在非洲撒哈拉沙漠以南的世界上最贫困的20%人口中，使用杀虫蚊帐和滴滴涕室内残留喷洒对这些穷人是最有效的预防疟疾手段。因此，药物治疗，包括青蒿素的应用只是与多项预防方式结合的一种用药方式。

如果不采用室内残留喷洒滴滴涕和使用长效杀虫蚊帐等预防措施，青蒿素等药物再强大有效，也不可能抵御疟疾。

所以，对待疟疾，最好的方法是综合性防治。

屠呦呦获得全国先进工作者称号的证书

屠呦呦获得新世纪巾帼发明家的奖牌及证书

附录

作为一名科学工作者，获得诺贝尔奖是一项很大的荣誉，
青蒿素这项生物研究成功是多年研究集体攻关的成绩，
青蒿素获奖是中国科学家集体的荣誉。
这也标志着中医研究科学得到国际科学界的高度关注，是个入口。
我为此感到高兴，这是中国的骄傲，也是中国科学家的骄傲。
这次获奖，说明中医药是个伟大的宝库，但也不是捡来就可以用。

——呦呦说

"523任务"大事记（1964至1981年）*

时间	事件
1964年	毛主席会见越南党政负责人谈话时，越南同志谈到越南南方疟疾流行严重，希望帮助解决疟疾防治问题。毛主席说："解决你们的问题，也是解决我们的问题。"
	总后勤部下达命令，指示军事医学科学院和第二军医大学两家单位开始研究长效的抗疟药，一个项目，齐头并进。
1964年至1967年	军队系统的军事医学科学院，第二军医大学，广州、昆明和南京军区所属的军事医学研究所就已经为紧急援外、战备任务开展了相应的疟疾防治药物研究工作。
1966年	5月至8月，军事医学科学院派出了一大批人员赴越南调查援越部队的卫生状况、各种疾病的发病和防治情况等。其中也包含了大量的对疟疾发病和防治的调查。
	6月，总后勤部考虑到部队力量太薄弱，开始协调组织进行全国大协作，一直到1967年开全国大协作会议之前，进行了大量的准备工作
1967年	5月4日，国家科委向有关单位下发召开疟疾防治药物研究工作大协作会议的通知
	5月18日，在京召开第一次全国疟疾防治研究领导小组会议
	5月23日至30日，国家科委与中国人民解放军中后勤部联合在北京饭店召开第一次"疟疾防治药物研究工作协作会议"讨论并确定了这个三年研究规划。参与会议的有各有关业务领导部门和从事疟疾药物研究试制、生产、现场防治工作的37家单位，88名代表。由于这是一项紧急军工项目，也是为了保密起见，遂以开会日期为代号，简称为"523任务"。

* 摘自北京大学硕士学位论文，作者黎润红，2011年

时间	事件
1967年	6月16日，国家科委与中国人民解放军中后勤部联合下发《疟疾防治药物研究工作协作会议》纪要及《疟疾防治药物研究工作协作规划》
1968年	2月19日至21，日国家科委、总后勤部会同卫生部、化工部、中国科学院等有关单位在杭州联合召开了"抗疟研究工作第二次协作会议"。会议对抗疟研究协作工作的组织领导、任务分工、各部门的工作职责以及保密工作等作了具体规定，研究任务的总体情况与1967年第一次会议时制订的三年规划没有多大的改动，但是对各领导组的任务有了更细致的规定，对保密方面也有了明确的文件规定。
	5月29日，国家科委与中国人民解放军总后勤部联合下发《抗疟研究工作第二次协作会议纪要》
	5月，北京523领导组办公室向各地区下发了《抗疟研究工作第二次协作会议》过程中讨论的各种有关问题的具体安排及规定
	6月10日，下发关于"北京523领导办公室"启用新印鉴事，经领导组会议讨论决定，原用的"疟疾防治药研究领导组办公室"印鉴改为"北京五二三领导组办公室"。
1969年	1月，中医研究院中药研究所加入523项目组
	1月15日，国家科委军管会和总后勤部向总理及中央军委写了《关于疟疾防治研究工作的情况报告和请示》。报告建议在北京或广州召开有关省、市、区革委会、军区后勤部分管这项工作的负责同志及有关单位负责通知的座谈会。
	2月8日，经周总理签发特级电报，电文内容：关于召开疟疾防治研究座谈会的通知：经伟大领袖毛主席批准，同意在广州召开疟疾防治研究工作座谈会。参加会议的人员和有关问题，由国家科委、卫生部军管会商总后勤

时 间	事 件
1969年	部办理。具体开会时间与地点另行通知。
	3月，在广州举行523座谈会
	10月，在北京举行523座谈会
1970年	1月16日，北京523领导组举行了全体会议，听取了办公室关于523工作进展情况与合成药、中草药、驱避剂、针灸四个专业组会议情况的汇报。
	10月，从中药青蒿的中性提取部分获得对鼠疟、猴疟疟原虫100%抑制率。
1971年	3月16日，卫生部军管会、燃料化学工业部（后简称化工部）、中国科学院、总后勤部向国务院、中央军委提交了《关于疟疾防治研究工作情况的请示报告》。报告建议调整领导小组，由卫生部任组长，总后勤部任副组长，办公室仍设在军事医学科学院。
	4月15日，国务院和中央军委下达了（71）国发文29号文件，批示了"请示报告"
	5月21日至6月1日，全国疟疾防治研究工作座谈会在广州召开，会上"523领导小组"由原来的国家科委（正组长）、中国人民解放军总后勤部（副组长）、国防科工委、卫生部、化工部、中国科学院6个部门改为由卫生部（正组长）、总后卫生（副组长）、化工部和中国科学院三部一院领导，办公室仍设在军事医学科学院，此外会议还制订了1971年至1975年的全国疟疾防治研究五年规划，调整了相应的研究计划和研究力量等。除了原有的科研单位之外，比如北京生物制品研究所、北京医学院、北京制药工业研究所、随着后字243部队搬到西安，西安制药厂作为协作单位等也都参与了进来。这次会议，对后来整个"523任务"的继续进行，对青蒿抗疟作用的再发现起到十分重要的作用。
	7月2日至28日，广东地区523办公室领导同志协同全国523领导办公室和

时间	事件
	现场有关单位的负责同志到海南现场各工作组进行了检查，重点解决加强领导和现场"三结合"的问题。
	7月19日，启用全国疟疾防治研究领导小组的印鉴。
1971年	8月11日至14日，广东地区523办公室召开了一次中草药防治疟疾的座谈会，参会的同志当时在海南现场的来自北京、上海、广西、广东等6个中药组和兵团、海南军区和地方等6个基层卫生单位的人员。会上对上阶段的工作进行了小结，交流了经验，并提出了几种比较有效的中草药，比如鹰爪、鸭胆子根、绣球等。
	10月27日至11月2日，在海口召开了1971年海南现场523工作总结会议，参加海南现场工作的有背景、上海、四川、广西、广东五个地区14个工作组共103人。参加这次会议的有7个工作组和领导组、办公室人员共64人。会上指出当年现场工作存在的主要问题：办公室工作不深不细，没有蹲好点，抓好典型指导全面；各小组和专业之间互通情报、交流经验也少；个别小组准备工作不充分，提前退出现场；部分同志存在临时观点和换班思想；中草药抗疟药的研究进展缓慢；针灸和新医疗法治疗疟疾研究停留在原来水平上，继续探索研究的信心不强。
1972年	3月，在南京召开了疟疾防治药物（合成药和中草药两个）专业组会议，会上提出：鹰爪在肯定有效单体临床效果的基础上，正在进行化学结构测定；仙鹤草已初步分离出有效化学单体，待临床效果肯定后进行化学结构测定；青蒿、臭椿、伞花八仙、绣球、南天竹、云南马兜铃、五朵云等大部分药物已提出有效成分，正在进行实验室与临床的研究提高工作。会议建议：鹰爪要尽快测定出化学结构，并继续进行合成的研究；仙鹤草再进一步肯定有效单体临床效果的基础上，高清化学结构；青蒿、臭椿等重点

时间	事件
1972年	药物，在肯定临床效果的同时，加快开展有效化学成分或单体的分离提取工作。
	3月，在上海召开驱杀蚊虫药物专业总结交流会，会上提出要进一步贯彻中西医结合的方针，加快植物驱蚊药的普及、推广和提高工作。
	8月24日至10月初，中医研究院中药研究所有关人员用青蒿的乙醚中性提取物在海南昌江地区对当地低疟区、外来人口的间日疟11例、恶性疟9例、混合感染1例进行临床验证。并用氯喹治疗恶性疟3例，间日疟例进行对照观察。
	11月10日，在北京召开了全国疟疾防治研究领导小组会议。卫生部军管会谢华、中国科学院武衡、燃料化学工业部陈自新、总后勤部卫生部杨鼎成、总后勤部司令部科技处龙达实等有关方面负责同志出席了会议。会议由谢华主持。会上除了总结过去的领导工作外，对进一步抓紧疟疾防治研究的有关问题进行了讨论。这次会上，建议把疟疾防治研究工作列入国家科研规划，因此要求有关部门将这一项目列入本部门、本系统的科研规划，加强领导和组织，并对相关研究成果的发表问题做了相应的规定。
	11月20日至30日，在北京召开了各地区523办公室主任座谈会，北京地区承担523任务部门、单位的有关负责同志和专业人员代表也出席了这次会议。这次会议期间全国疟疾防治研究领导小组卫生部军管会谢华、燃料化学工业部陈自新、中国科学院王孟之、总后勤部卫生部王二中、总后司令部科技处刘寅生等有关方面的同志也到会，谢华代表领导小组向会议作了指示。 年底，中药研究所分离提取出了多个单体成分，其中1个有抗疟效果的提取物命名为"青蒿素Ⅱ"。

时间	事件
1973年	1月4日至1月12日，在上海召开疟疾免疫座谈会。参加会议的有北京、上海、四川、广东、江苏、云南、广西、贵州等地区代表63人。
	1月15日至22日，在广州召开了凶险性疟疾救治研究座谈会。参加会议的有广东、云南、上海、北京、南京、广西、四川、贵州等8个省、市的代表共53人，另外还有全国疟疾防治研究领导小组办公室负责同志和广东地区523领导小组的有关负责同志参加。
	2月15日，卫生部、燃化部，中国科学院、总后勤部向总理写了"关于疟疾防治研究工作情况的报告"，报告了贯彻国务院、中央军委《71》国发29号文件及5年规划的执行情况，报告了遵照总理指示试验法国医生阿里什处方的情况，提出为适应国内防治疟疾的需要，把三种防疟片等防治药物，除保证援越外，在国内一些重点疫区推广使用；把疟疾防治研究工作列入国家重点研究计划；请示召开疟疾防治研究工作座谈会，调整落实五年研究规划后三年的任务。
	2月20日，在沈阳召开驱杀虫药和杀虫器械研究工作会议。
	4月，云南省药物所研究人员罗泽渊在云南大学校园内采集了一些苦蒿带回研究所提取，用乙醚提取分离直接得到抗疟有效单体，并暂时命名为"苦蒿结晶Ⅲ"，后改称为"黄蒿素"。
	5月28日至6月7日，卫生部、国务院科教组、燃化部、中国科学院、总后勤部有关负责同志，各有关省、市、自治区、军区以及有关部门、单位负责领导这项工作的同志和专业组代表，中共中央南方13省、市、自治区血防领导小组办公室和商业部的代表共86人出席了在上海召开的疟疾防治研究工作座谈会。
	9月至10月，中医研究院中药研究所用提取出的青蒿素Ⅱ在海南昌江对外

时间	事件
1973年	地人口间日疟及恶性疟共8例进行那个了临床观察，其中外来人口间日疟3例。胶囊总剂量3~3.5g，平均退热时间30小时，复查3周，2例治愈，1例有效（13天原虫再现）。外来人口恶性疟5例，1例有效（原虫7万以上/mm3，片剂用药量4.5g，37小时退热，65小时原虫转阴，第6天后原虫再现）；2例因心脏出现期前收缩而停药（其中1例首次发病，原虫3万以上/mm3，服药3g后32小时退热，停药1天后原虫再现，体温升高），2例无效"。
	11月，山东省中医药研究所从山东省当地的黄花蒿提取出有效单体，命名为"黄花蒿素"。
1974年	1月10日至17日，在北京召开了各地区523办公室负责同志座谈会，北京、西安、沈阳等地承担任务的单位的负责同志也出席了会议。会上对各专业组的研究工作都做了总结和进一步的工作计划。
	2月，中药所派倪慕云带着当时中药所的一些研究资料和青蒿素前往上海有机所，与有机所一起做青蒿素的化学结构的测定工作。
	2月28日至3月1日，正在进行青蒿抗疟研究的北京、山东、云南三地四家单位的科研人员与523办公室和中医研究院的有关领导在中医研究院召开了青蒿研究座谈会
	4月15日至25日，在河南商丘市召开523化学合成药专业会，出席会议的有北京、上海、南京、广东、云南、四川、广西、沈阳、西安等地专业工作的代表，有河南、山东、安徽、武汉军区等省和部队防治单位的代表共65名。
	5月，山东省黄花蒿研究协作组与1974年5月中上旬在山东巨野县城关东公社朱庄大队用黄花蒿素对10例间日疟患者进行临床观察，药物剂型为胶囊，每粒含结晶0.1g。分为两个组，一组5人，其中成人3例，10~12岁儿童2例，用量为：成人0.2g，儿童0.1g，每日1次，连服3日；另一组5人均

时间	事件
1974年	为成人，用药剂量为0.4g，每日一次，连服三日。山东省黄花蒿协作组首次对黄花蒿素治疗间日疟进行临床验证后，得出了相应的结论：黄花蒿素为较好的速效抗疟药物，似乎可以做急救药品，治疗过程中未见任何明显副作用，但是作用不够彻底，复燃率较高，为有效地控制复燃率似单独提高黄花蒿素用量不易达到，应考虑与其他抗疟药配伍。
	9月至11月，用云南药物所提取出来的黄蒿素，云南药物所人员验证了3例，其中恶性疟1例，间日疟2例，广东中医学院523小组共验证了18例，其中恶性疟14例（包括凶险型疟疾3例），间日疟4例。广东中医学院523小组经过临床验证后得出了黄蒿素是一种速效的抗疟药，首次剂量0.3~0.5g即能迅速控制原虫发育。原虫再现和症状复发较快的原因可能是该药排泄排泄快（或在体内很快转化为其他物质），血中有效浓度持续时间不长，未能彻底杀灭原虫。并且首次提出了黄蒿素具有高效、速效的特点，可用在抢救凶险型疟疾患者中。
	11月，在上海召开驱避剂总结评价鉴定会并通过了一些技术鉴定报告书。
1975年	2月，在北京北纬路饭店召开523办公室负责人座谈会，会议主要总结和检查1974年的523工作执行情况，协调落实1975年的工作计划等。
	4月14日至24日，在成都召开了"523中医中药专业座谈会"。参会的有北京、上海、江苏、广东、广西、四川、云南、山东等地参加五二三中医中药研究专业代表，河南、湖南、湖北有关单位的代表和老中医、赤脚医生共62人。会上各研究单位汇报交流了各项研究工作的进展情况，会上特别提到广东中医学院中医中药研究组八年如一日，坚持深入疟区农村，积累了的救治脑型疟疾的经验，取得了较好的成绩，与此同时也提到有些单位偏重于实验室研究，关起门来搞提高的倾向也时有表现。

时间	事件
1975年	11月，在北京召开青蒿研究工作座谈会，523领导小组成员，北京、山东、云南、广东、四川、江苏、湖北、上海等地的科研人员、参加了会议并对研究成果和研究进展做了汇报。并制订了1976年青蒿的研究计划。包括对青蒿植物资源的调查，青蒿简易制剂的研究，青蒿有效成分的治疟效果和近期复发等问题，青蒿素Ⅱ结构测定以及青蒿其他化学成分的研究。
	11月30日，中国科学院生物物理研究所梁丽等用单晶衍射法证实了青蒿素的化学结构和相对构型
	12月10日至20日，在上海召开523化学合成药物评价鉴定会，参加会议的有北京、上海、广东、云南、四川、山东、河南、湖北、浙江、陕西以及沈阳、淮南等省市参加7项药物研究、生产和临床试用单位的37人。卫生部、石油化工部、中国科学院、总后勤部卫生部领导机关的通知，上海地区523领导小组各有关领导部门的同志以及北京药品生物制品检定所、上海市卫生局药品检验所的代表也出席了会议。
1976年	2月20日，由中医研究院将有关情况上报中华人民共和国卫生部党组将《一种新型的倍半萜——青蒿素》一文投稿给《科学通报》，1977年第3期公开发表，即被美国《化学文摘》收载，这是首次公开发表青蒿素类的文章。
1977年	2月18日至28日，由北京中医研究院、山东省中西医结合研究院共同负责，在山东省济南市开办青蒿素含量测定技术交流学习班。参加交流的有北京中医研究院中药研究所、上海药物研究所、广东中医学院、广东省植物研究所、四川省中药研究所、云南省药物研究所、江苏省植物研究所、江苏省高邮县卫生局、河南省药品检定所、河南制药厂、湖北省医学科学院寄生虫病研究所、湖北健民制药厂、山东省中西医结合研究院、山东省药品检定所、山东省科技情报所等单位的20多名同志。会上个单位介绍了十多

时间	事件
	种青蒿素含量测定方法，但各种方法均存在一些问题，会上建议各单位参照比色法和容量法不断总结经验，进一步改进完善。
1977年	3月21日至30日，在北京召开523工作座谈会，出席会议的有北京、上海、广东、广西、云南、四川、江苏、山东、河南等省、市、区，昆明、广州、南京、成都军区以及广西军区、上海警备区，中国医学科学院、中医研究院、军事医学科学院，第一、第二、第三、第四军医大学，东北制药厂等有关部门、单位和523办公室负责同志71人。会议开始与闭幕时，卫生部负责人江一真、石油化工部陶涛副部长，中国科学院科技办公室负责人田野，总后卫生部张祥副部长到会讲话。会上除了汇报工作、交流经验等，还制订了1977年至1980年的疟疾防治研究工作规划。
	4月22日至29日，全国五二三办公室在广西南宁召开了"中西医结合防治疟疾药物研究专业会议"，这次会议总结评价了成都会议两年来青蒿素的研究进展，提出了成果鉴定前必须继续完成的任务要求，作了具体的部署和安排，是鉴定前的一次预备会。
	6月，在上海召开523化学合成药物专业会议，会上对疟疾急救药脑疟佳及治疗药羟基哌喹进行了鉴定。
	12月14日至21日，在广州召开523防蚊灭蚊药械专业座谈会。出席会议的有北京、上海、广东、广西、云南、四川、江苏、山东、河南、湖北、浙江省、市、自治区，广州、南京、沈阳军区等有关科研、卫生机构和高等院校的代表共63人。
1978年	防疟片3号、喹哌和复方磷酸咯萘啶三项获得1978年全国科学大会重大成果奖，羟基哌喹片和磷酸羟基哌喹两项获得全国科学大会先进科技成果奖，磷酸咯萘啶和常咯啉两项获得全国科学大会奖。

时间	事件
1978年	中国科学院生物物理研究所研究人员在精细地测定反常散射强度数据的基础上确定了青蒿素的绝对构型
	5月9日至16日，在成都召开了疟疾免疫专业座谈会，会议总结了几年来的工作经验和进展，讨论并商定了1978年至1985年的研究计划。
	6月，《光明日报》首次发表有关抗疟新药——青蒿素的消息。
	11月23日至29日，在江苏省扬州市召开了青蒿素（黄花蒿素）治疗疟疾科研成果鉴定会。会议由全国疟疾防治研究领导小组主持，有卫生部、国家科委、中国人民解放军总后勤部的有关领导和机关干部，有关省、市、区，军区领导和全国523办公室、地区523办公室的同志，承担研究任务的"三部一院"直属单位，9个省市区、军队所属参与青蒿、青蒿素研究的科研、医疗防疫单位、医药院校、制药厂等主要研究单位和主要协作单位的领导和科技人员参加会议。会议邀请了中华医学会、卫生部药典委员会、中央药品生物制品检定所、《新医药学杂志》的代表参加。
1979年	9月4日，国家医药管理总局文件（79）国药工字第387号，提出按化工、医药交接会议上明确，从1980年起医药军工科研项目化工部不再负责。此外还提出，五二三项目近年来承担任务不多，且属军民两用项目，自1980年起纳入各级民用医药科研计划之中，不再另列医药军工科研项目
	9月，抗疟新药——青蒿素获国家发明奖（二等）
	10月15日，《人民日报》第四版报道了卫生部中医研究院中药研究所、山东省中医药研究所、云南省药物研究所以及中国科学院生物物理所、上海有机化学研究所，以及广州中医学院发明的抗疟新药——青蒿素的制造获得国家二等发明奖。

时间	事件
1980年	6月13日，卫生部黄树则副部长主持，在北京召开了全国523领导小组会议。国家科委、国家医药管理总局、总后勤部卫生部以及军事医学科学院等部门有关负责同志出席了会议。会上对过去13年来523工作方式及其成果加以了肯定，也为后面的工作方式的调整做了相应的规定，为后面撤销全国和地区疟疾防治研究领导小组和办事机构做好相应的准备工作。
	8月25日，卫生部、国家科委、国家医药管理总局、总后勤部四个领导部门联合向国务院和中央军委请示——将防治疟疾科研项目纳入有关部委省市计划，撤销全国协作组织机构。该文件由黄树则、赵东宛、黄开云、贺彪签发。
	8月27日，卫生部、国家科委、国家医药管理总局、总后勤部四个领导部门联合向国务院和中央军委请示——建议撤销全国疟疾防治研究领导小组，该文件由黄树则、赵东宛、黄开云、贺彪签发，钱信忠阅后再转由国务院副总理陈慕华批示并由万里和方毅同志圈阅同意。
	11月25日，卫生部科技局下发了关于青蒿素发明奖奖金分配的通知，内容主要包括的奖金的分配和证书相关的问题，5000元分配的结果是：中医研究院中药研究所2200元，山东省中医药研究所1000元，云南省药物研究所1000元，广州中医学院400元，中国科学院生物物理所和中国科学院有机化学研究所各200元。通知中还指示有关单位抽出10%~15%的奖金对各协作单位加以奖励，主要包括中药研究所对海南，山东对河南，云南药物研究所对云南。
1981年	3月3日至6日，在北京举行了"各地区疟疾防治研究领导小组、办公室负责同志座谈会"。会上对五二三协作组织进行了调整，五二三的组织形式发生了变化，但是疟疾防治研究任务作为医药卫生科研重点项目，纳入有

时间	事件
1981年	关部、委、省、市、自治区和军队的经常性科研计划内。而且，鉴于五二三协作组织的调整，国家卫生部在医学科学委员会下成立了疟疾专题委员会，军队也决定由总后卫生部组织，拟定于同年5月在流行病专业组内成立疟疾防治专题组。。卫生部、科委、医药管理总局和总后勤部给参加"523任务"的单位（集体）和领导小组个人联合颁发了奖状。获奖的单位（集体）共有134个，其中科技系统有17家，医务卫生系统有55家，医药化工系统27家，部队系统26家，轻工、高教及其他系统9家；获奖个人有北京、广东、广西、南京、上海、四川、云南7个地区的85位。
	5月11日，卫生部、国家科委、国家医药管理总局、总后勤部作为全国疟疾防治研究领导小组联合颁发了的最后一个文件——转发《疟疾防治研究领导小组、办公室负责同志座谈会纪要》的通知。该通知除了转发疟疾防治研究领导小组、办公室负责同志座谈会纪要以外，还对整个五二三的善后工作做了总体的规划——五二三办公室的文件、技术档案、经费、物资等如何移交由地区领导小组主管部门确定；有关主管部门和原单位对长期脱离原单位专职担任五二三科研组织管理工作的工作人员要做出妥善安排。

青蒿素研究大事记*

（1967年至2003年）

1967年5月23日

我国政府为解决抗药性疟疾的防治问题，成立了全国疟疾防治研究领导小组及它的办事机构"五二三办公室"。先后组织全国60多家科研单位和500多个研究人员参加"五二三任务"。他们来自各个系统，各部门的研究所、大学、制药厂与医院。五二三任务包括新型的驱避剂、疟疾预防药、治疗药和根治药的研制，针灸治疟，灭蚊药械等。新药研制的策略有对已知的抗疟药结构修饰和对国外新抗疟药的仿制，从中草药中寻找新型的抗疟药和广筛等。

1967年6月至1971年

中药常山的抗疟有效成分常山乙碱有高于奎宁的杀疟原虫的作用，但同时引起患者剧烈呕吐。改造常山乙碱的化学结构一开始就成为"五二三项目"的研究重点。不少常山乙碱衍生物和类似物被合成、筛选。之后，常山乙碱衍生物（代号7002）和常咯啉（代号56）进入临床试验，但未成为理想的抗疟新药。

与此同时，大量的中草药被提取、筛选。

1971年

黄花蒿的乙醚提取物经动物试验证明是抗疟有效部位。

1972年3月

"全国化学合成药和中草药专业组会议"在南京召开。会上报告从仙鹤草、鹰爪、黄花蒿、陵水暗罗、地耳草、鸦胆子、南天竹中分离出十余种抗疟

---

* 摘自《青蒿及青蒿素类药物》，屠呦呦编著，化学工业出版社，2009

有效部位或有效单体。

1972年8月至10月

黄花蒿的乙醚提取物在海南进行小型的临床试验，它的高效、速效及抢救脑型疟有使其成为全国抗疟药研究重点。

1973年

用乙醚提取的黄花蒿粗制剂在山东试用于间日疟，抗疟作用同样超过氯喹，且副作用小。

黄花蒿的抗疟有效单体被分离纯化，是一种白色的针状结晶。由此，开始对它的化学结构研究。

1974年

提取大量黄花蒿的抗疟有效单体，经药理、毒理试验后，在云南、山东扩大试治恶性疟和间日疟患者。它显示了作用迅速、疗效良好、毒性低，能治愈抗氯喹恶性疟，但复燃率较高。

1975年

4月，在四川成都召开"全国五二三中草药专业会议"。组织全国大协作，全面开展黄花蒿有效单体的研究。会上对它的命名"黄花蒿素"、"黄蒿素"或"青蒿素"争论不下（以后被正式命名为青蒿素）。此外，会上报告了鹰爪甲素的过氧化合物结构，这一工作对青蒿素的结构测定有启示作用。几天后，青蒿素被证明确含有过氧基团。

通过光谱数据和化学反应，断定它是一种含有过氧基团的倍半萜内酯。青蒿素用纳硼氢还原所得的反应产物（双氢青蒿素）为以后的青蒿素衍生物制备打下基础。

成都会议后在全国各地进行了黄花蒿野生资源的调查。溶剂汽油法提取工艺逐步成熟。

1975年年底

青蒿素的分子结构和相对构型用X射线晶体衍射法测定。次年，由反常X射线晶体衍射法完成了青蒿素绝对构型的测定。青蒿素与已知抗疟药的化学结构完全不同。

1975年12月

"全国五二三化学合成药评价与鉴定会议"在上海召开。会上评价了常山乙碱衍生物（代号7002）、常咯啉（代号56）、咯萘啶（代号7351）、脑疟佳、硝喹（代号CI679）的临床实验结果，效果很好，但它的溶解度小，难于制成针剂以抢救危重患者，而且复燃率高，还需改进。

1976年

2月，青蒿素的结构改造工作开始。

12月，制订青蒿素质量标准。

1977年

4月，在广西南宁召开的"全国中西医结合防治疟疾药物会议"和6月在上海召开的"全国五二三化学合成药物会议"上，报告了青蒿素的构效关系和衍生物的设计思路和第一批20多个青蒿素衍生物的鼠疟筛选结果，它们的抗疟效果是青蒿素的数倍。

以"青蒿素结构研究协作组"名义，在《科学通报》上发表了一篇有关青蒿素的论文，公开了青蒿素的化学结构和相对构型。

1978年

蒿甲醚油针剂在海南，青蒿琥酯钠盐水针剂在广西进入临床试验。它们的抗疟效果超过青蒿，而且对危重疟疾患者的医治更迅速可靠。

11月，在江苏扬州召开"青蒿素治疗疟疾科研成果鉴定会"，总结了青蒿素的品种资源、化学、药理、制剂、临床试验、生产工艺、质量控制等专题的科研成果。

1979年

抗疟新药——青蒿素的发明获得"国家发明二等奖"。

以"青蒿素研究协作组"名义，在《中华医学杂志》（英文版）上发表了第一篇有关青蒿素的抗疟作用的论文，公开了青蒿素抗疟的药理研究和临床研究的数据。

1981年

在上海召开"疟疾治疗药蒿甲醚鉴定会"。

10月，在北京，由世界卫生组织主持召开"青蒿素及其衍生物学术讨论会"。

1985年7月1日

卫生部颁发《新药审评办法》。

1987年

蒿甲醚油针剂，青蒿琥酯钠水针剂作为一类新药批准生产。

1988年

四川省武陵山制药厂青蒿素车间开始兴建，1990年，建成世界上第一个吨级青蒿素的生产厂。

1989年

4月，在北京，由世界卫生组织主持召开"疟疾化疗科学工作组会议"。

1992年

双氢青蒿素片剂，复方蒿甲醚（蒿甲醚–本芴醇）批准生产。

1997年

蒿甲醚油针剂被世界卫生组织列入的第9版《基本药物目录》出版。

1998年至2004年

青蒿素—萘酚喹复方、双氢青蒿素—哌喹复方批准生产。

2001年

11月在上海，由世界卫生组织和中国卫生部主持召开"抗疟药开发会议"。

2002年

青蒿琥酯片被世界卫生组织列入的第11版《基本药物目录》出版。

2003年

复方蒿甲醚被世界卫生组织列入的第12版《基本药物目录》出版。

青蒿素的专利与合作

曾庆平

青蒿素的专利之痛

青蒿素，一个这么好的东西，为什么没有申请专利呢？这几乎是每个关心青蒿素的人都会问的一个问题。现在看来，造成青蒿素专利之痛的人，一不是"外国特务"，二不是"中国汉奸"，而是组织决策失误和研究人员主动泄密。

在那个年代，只有为国争光的集体主义，没有为己牟利的个人主义。20世纪70年代中期的中国，经过"523大会战"，青蒿素的抗疟功效及化学本质都已经基本上清楚了，但为了技术保密，并没打算发表论文。即使发表论文，也是组织说了算，并且要以集体的名义发表。

1972年，在印度新德里召开的第八届国际天然产物化学研讨会上，南斯拉夫植物化学家宣读了一份研究报告，出人意料地宣称他们从青蒿中分离出一种新型倍半萜内酯，得出的分子式和分子量恰恰与我方分析青蒿素得出的结果相同！可是，直到1976年，我方才听说南斯拉夫科学家正在分离蒿属植物的类似物质，并以为与我方正在研究的青蒿素相同，有些按捺不住了。

为了抢在外国人前面发表论文，表明青蒿素是中国人的发明，由当时隶属卫生部的北京中医研究院中药研究所请示，经卫生部批准，在1977年《科学通报》第22卷第3期以青蒿素结构研究协作组的名义，首次发表了青蒿素化学结构及相对构型的论文，题目是《一种新型的倍半萜内酯——青蒿素》。随着这篇重磅论文的公开发表，青蒿素的结构完全公之于世，从此我国就失去了青蒿素这个特殊而珍贵的化合物的知识产权。

这个失误决策的背景是我国当年没有专利及知识产权保护法规，高层主管领导既没有想过青蒿素可以申请国外专利，也没有考虑派人去南斯拉夫实地考察后再做决策。据1986年访问中国的曾经研究过青蒿化学成分的南斯拉夫科学家说："即使我们给出正确的化学结构，我们也不会将它开发为抗疟药"，因为南斯拉夫没有用青蒿治疗疟疾的经验。更滑稽的是，他们虽然测对了化合物的分子式和分子量，但却排错了化学结构，误将该化合物鉴定为双氢青蒿素臭氧化物。看来当时显然是捕风捉影，小题大做，虚惊一场！

好在我方在发表的第一篇论文中并没有提到青蒿素的抗疟功效，而且在1979年《中国科学》第11期以青蒿素结构研究协作组和中国科学院生物物理研究所名义发表的《青蒿素的晶体结构及其绝对构型》的论文，也没有涉及青蒿素的抗疟作用。可是，此后我国科研人员不断在国内外发表文章，将青蒿素的抗疟功效向全世界展露无遗，使青蒿素的化学结构与抗疟作用自然地联系起来了。

这些论文的发表应该算是研究人员的泄密，而且是关键技术泄密。如果说青蒿素的结构已经公开，无法再申请专利保护，那么青蒿素的抗疟功效（包括用法、用量、配方等）完全可以申请专利保护，足以挽回第一次组织决策失误带来的损失。然而，泄密从此以后一发不可收拾，相关科研人员不断在国内和国外公布青蒿素抗疟试验的临床资料，把我们的国宝就这样无私地奉献给了洋人！

不过，这在当初看来似乎有些令人惋惜，但从长远来说并非丧权辱国。青蒿素失去专利权也许不是一件坏事，甚至可能是一件好事，这正是"塞翁失马，焉知非福"。疟疾主要发生在老少边穷地区，赚落后国家里的穷人的钱是可耻的，只有没有专利权的抗疟药，才能低价或免费为贫困地区的疟疾患者治病，这是可敬的人道主义与慈善事业。

青蒿素的合作之痛

自我国公布青蒿素的分子结构以后，我国研究人员完成的青蒿素抗疟临床试验结果陆续在国内外学术期刊发表，引起了世界卫生组织（世界卫生组织）的高度关注。世界卫生组织总干事致函我国卫生部称，鉴于氯喹耐药性疟疾的蔓延已达到不可遏制的地步，世界卫生组织迫切希望尽快在中国召开一次青蒿素及其衍生物的学术研讨会。

在"文革"期间乃至后期，中国基本上处于与世隔绝的状态，中国不了解外国的形势，外国也不知道中国的情况。因此，扩大交流应该是你情我愿、互利双赢的好事。既然世界卫生组织主动伸出橄榄枝，中国政府很快就笑纳了，于是由世界卫生组织疟疾化疗学术工作组主持的青蒿素及其衍生物学术研讨会在北京隆重召开。会议共有7份研究报告，全部由我方代表宣读，其中屠呦呦做了题为《青蒿素的化学研究》的报告。外方代表只有当听众的份，他们不断提问并参与讨论，随后又分成化学、药理毒理和临床3个小组进行实质交流，他们把该问的问题都问遍了。会议最后通过了一个《发展规划》，并建议中国尽快成立相应的管理协调机构，以便与世界卫生组织秘书处联系落实规划的实施。

卫生部、国家医药管理总局联合成立中国青蒿素及其衍生物研究开发指导委员会。就在此前，疟疾化疗学术工作组委派秘书曲立格、科学顾问海佛尔和李振钧访华，先后参观了北京、上海、桂林、广州的有关科研单位和药厂，并就我国与世界卫生组织开发研究项目的技术要求和资助问题初步达成合作协议。

为了给国外机构提供青蒿素类药物用于临床试验和国际注册，中方计划在两年内按照国际标准完成口服青蒿素及蒿甲醚与青蒿琥酯针剂的质控标准、临床前药理毒性实验资料和临床I、II、III期等课题的研究工作，世界卫生组织则向中方提供人员培训、仪器设备和必要的纯种实验动物等。随后，疟疾化疗学术工作组在日内瓦召开会议，对在中国签订的研究合作计划进行精简，只把青蒿琥酯治疗脑型疟列为优先开发项目，同时提出对该制剂生产工艺的关切，拟向中方提出派遣美国食品药物管理局（FDA）技术人员访华，进一步了解药厂生产与管理方面的情况。

根据世界卫生组织的提议并经我国政府批准，美国食品药物管理局检查员泰斯拉夫在曲立格陪同下，先后到昆明制药厂和桂林第一、第二制药厂进行优良制造规范（GMP）检查。对桂林制药二厂生产青蒿琥酯针剂无菌车间优良制造规范检查的评语是：在生产上缺乏严格的管理制度；在技术要求上，特别是制剂车间的无菌消毒和测试方法还缺乏科学依据；在厂房设计与设备维护方面尚不够合理。结论是：桂林第二制药厂生产青蒿琥酯静脉注射针剂车间不符合优良制造规范要求，其生产的制剂不能用于中国以外地区的临床试验。

对昆明制药厂的优良制造规范检查，美国食品药物管理局人员虽未写出详细检查报告，但表示存在的问题与桂林制药二厂类似。为了在我国物色到一个符合优良制造规范要求的药厂生产青蒿琥酯针剂，中方又推荐国内生产条件最好的上海信谊制药厂供其检查，结果美国食品药物管理局人员得出的结论还是：生产条件不符合要求。由于制剂车间未能通过优良制造规范检查，我国与世界卫生组织的合作受阻。曲立格提出两条可选方案：一是由中国新建一个符合优良制造规范标准的青蒿琥酯针剂生产车间，但这样国际注册可能要推迟3-5年；二是利用国外设备加工一批符合优良制造规范标准的制剂，尽快完成国际药物注册所需要的临床前药理毒性研究。

青蒿素指导委员会认真研究了曲立格的建议，权衡利弊后认为争取时间尽快完成青蒿素类药物的国际注册为上策，同意在国外加工一批青蒿琥酯制剂，同时希望世界卫生组织提出推荐合作研究单位。曲立格推荐美国华尔特里德陆军研究院与我国开展合作，并专程赴美国与华尔特里德研究院进行磋商。美方决定派国防部国际卫生事务局布朗和华尔特里德研究院海佛尔访问我国，讨论有关青蒿琥酯合作研究事宜。

鉴于事前对美方谈判方案一无所知，加上时间仓促，青蒿素指导委员会担心谈判难以取得实质结果，便函告世界卫生组织建议美方推迟访问，并要求对方提前把合作方案寄给我方。曲立格如约寄来《青蒿琥酯的研究合作协议书》正式文本，并称该《协议书》已获得世界卫生组织及美国国防部同意，希望我方尽快安排三方会晤。青蒿素指导委员会经过会议讨论认为，协议不是建立在"平等互利"和"友好合作"基础上的，而是企图以"条条框框"捆住我方手脚，引起与会人员极大不满，并对《协议书》提出很多实质性修改意见。

在世界卫生组织热带病处处长卢卡斯来华讨论《青蒿琥酯的研究合作协议书》后，卫生部和国家医药管理局联合向上级提交了关于批准《合作研究青蒿琥酯协议书》的请示，随后双方批准了该合作研究协议书。出人意料的是，从此国外许多研究机构都各行其是地开展了青蒿素的新药开发工作。瑞士罗氏制药完成了青蒿素的人工合成，美国华尔特里德研究院已从本土采集的青蒿中分离出青蒿素，并测定了理化常数。世界卫生组织的热带病研究训练署（TDR）与荷兰ACF公司签订了合作开发蒿乙醚的协议，其财政预算计划（1990–1996年）约为600万美元。

我国昆明制药厂和桂林制药厂虽然照常生产青蒿琥酯和蒿甲醚等青蒿素产品，但由于生产条件未达到优良制造规范标准，产品未能在国际市场销售。即使这些中国药厂早已实施优良制造规范，产品质量也符合要求，但它们仍然只能作为国外制药公司的原料生产基地。这些国外企业有的在我国购买青蒿素原料后，再仿制加工成各种产品后高价出售。有的则以低价购买我国的青蒿素半成品或成品进行加工，然后换成自己的包装后，就摇身一变成为他们企业的品牌产品，竟然以高出数倍甚至十几倍的价格在世界各地出售。

青蒿素的国际合作为什么没有"乐"只有"痛"？这是一个值得我们认真反思的问题。青蒿素合作之"痛"的根源应该是没有自主知识产权，我们与国外的合作只是在给对方"引路"和"传经送宝"。一旦他们把真本领学到手之后，"另起炉灶、自己开伙"也就是很自然的事了。其次，我们在第一次合作中太计较协议书上的文字内容，以为别人离开了我们什么也做不了，结果导致我们还没有"入局"就被淘汰"出局"。另外，原本我们手中已经没有任何筹码，只是我们先走一步积累了一些经验，我们不能故步自封，应该继续加大投入，保持一定的领先优势，这样才可能跟别人合作，并且在谈判桌上占主动。

俗话说，青出于蓝而胜于蓝。如今国外研究机构不仅可以完全独立开展青蒿素研究，而且在青蒿素的其他研究领域也已经具备绝对的领先优势，就连过去我们引以为自豪的青蒿素原料，今后也会变得可有可无。所谓"可有"就是低价出售；所谓"可无"就是根本卖不出去。法国的赛诺菲公司利用美国授权的酵母工程菌发酵生产青蒿酸，产量已经达到非常惊人的地步，2012年年底已生产出39吨，转化为青蒿素后相当于4000万份抗疟药！

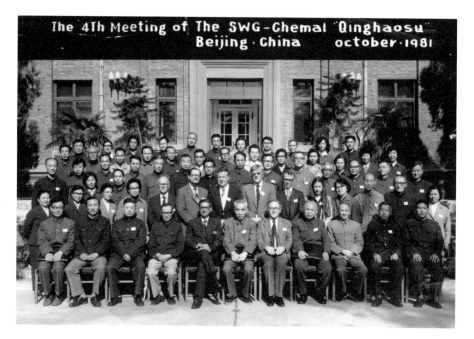

1981世界卫生组织青蒿素相关会议合影

1978年《光明日报》对青蒿素的专题报道

编后絮语

在诺贝尔奖设立120年来的历史上，第一次把诺贝尔奖颁发给中国女科学家，第一次把自然科学奖颁发给中国本土科学家，第一次让本土中国人获得了生理学或医学奖。

2015年10月5日，下午5点30分（北京时间），屠呦呦一举创造了诺贝尔奖史上的三个第一！

此时，我们第一时间想到的，是应该为此做点什么。

一直以来，就知道饶毅教授以及张大庆教授领衔，带领年轻学生在做青蒿素研究的口述史工作，也知道两位老师在各媒体发表文章所带来的无比的影响。当我们第一时间通过各种渠道联系到三位作者后，得到他们的慷慨支持以及充分信任，让我们看到，他们高超的研究视野以及科学品味后面的善意与美好。特别是黎润红老师，那几天因为我们失去了许多与儿子共处的时间。

鉴于时间关系，我们没有更从容地将三位老师的学术版本非常好地转化为大众阅读版本，略去了他们文本中的注释和参考文献。我们届时会把相关内容发在我社的公众微信平台以及官方网站上。可以帮助到希望进一步了解的读者。

这个诺贝尔奖的降临，除了自媒体的一路欢歌，各种解读，我们更愿意给大家一个深入了解半个世纪以前，那个时代，大科学大协作时代科研的面貌。饶毅先生等三人客观的独立的历史的视角，正如他们自己所言，与其说是诺奖的一个推手，不如说是思考科学的优秀与否。

广东中医药大学的曾庆平教授也长期关注青蒿素的研究，我们在科学网上发现了大量他的原创文章，难得可贵的是曾老师不仅让我们分享了他的评论文章，还为我们特别撰写了他长期对青蒿素应用的追踪研究成果，写了生动活泼的文字，当然这些都是夜以继日的速度。

著名科普作家，长期关注诺贝尔生理学或医学奖的张田勘先生不仅允许我们尽情选用他的文章，而且还允许我们进行编辑，感谢这份信任与支持。

当我们一直在追问中国的本土科研人员科研成果何时能够获得诺奖时，谁也没有想到这个数十年前的项目首先成为零的突破，无常之中总有因由，就如同这本书，感谢所有在这个过程中帮助我们的朋友、同事以及媒体朋友，这是将我们联系在一起的缘由。

匆促之间，此书必有疏漏，希望得到读者的批评指正。

我社公众微信平台微信号：cspbooks

我社官方网站：www.cspbooks.com.cn

编者 2015年10月

图书在版编目（CIP）数据

呦呦有蒿：屠呦呦与青蒿素 / 饶毅，张大庆，黎润红等著. —— 北京：中国科学技术出版社，2015.10

ISBN 978-7-5046-6996-4

Ⅰ.①呦… Ⅱ.①饶… ②张… ③黎… Ⅲ.①屠呦呦 – 生平事迹 Ⅳ.①K826.2

中国版本图书馆CIP数据核字(2015)第237454号

策划编辑	辛　兵　杨虚杰
责任编辑	鞠　强　孔祥宇
装帧设计	林海波
责任校对	林　华
责任印制	李春利

出版发行	科学普及出版社
地　　址	北京市海淀区中关村南大街16号
邮　　编	100081
发行电话	010–62103130
传　　真	010–62179148
投稿电话	010–62103136
网　　址	http://www.cspbooks.com.cn

开　　本	720mm×1000mm　1/16
字　　数	130千字
印　　张	11.25
版　　次	2015年10月第1版
印　　次	2015年10月第1次印刷
印　　刷	北京金彩印刷有限公司

书　　号	ISBN 978-7-5046-6996-4/K·178
定　　价	38.00元

（凡购买本社图书，如有缺页、倒页、脱页者，本社发行部负责调换）